EL LIBRO DE TRABAJO AVANZADO CÓMO CONVERTIRSE EN DINERO

por Gary M. Douglas

No importa si tienes un millón de dólares o cincuenta centavos.
Las cuestiones de dinero son duras para todos.

~ Gary Douglas

El libro de trabajo original de *Cómo convertirse en dinero* se publicó por primera vez a principios de la década de 1990. Decenas de miles de personas de todo el mundo han utilizado ese libro para crear una mayor facilidad y claridad con el dinero y para tener más en su vida.

El libro de trabajo avanzado de cómo convertirse en dinero retoma el tema donde lo deja el original y ofrece preguntas y procesos más avanzados sobre cómo convertirse en dinero y lo que eso puede significar para ti.

Por favor, haz todas las preguntas del primer *Libro de trabajo de cómo convertirse en dinero* antes de empezar a trabajar con las de este.

CÓMO UTILIZAR ESTE LIBRO

El origen de todo cambio y de toda posibilidad es darse cuenta de las limitaciones que has elegido. Cuando realmente tomas consciencia de lo que es una limitación, tenderás a no volver a creer que es verdadera. Esa es la dirección en la que nos dirigimos: liberarte de tus limitaciones sobre el dinero.

Este libro de ejercicios está lleno de preguntas y procesos diseñados para que analices tus limitaciones sobre el dinero una y otra vez, hasta que por fin te des cuenta: "¡Un momento! Éste es un punto de vista estúpido. ¿Por qué razón elegiría esto?".

No tiene por qué haber una limitación a menos que tú la elijas.

No se trata de lógica

Una señora que trabajaba con estas preguntas me dijo que le costaba mucho dar más de tres o cuatro respuestas a algunas de las preguntas de este libro. Me dijo que algunas preguntas ni siquiera tenían sentido para ella y que se desconectaba cuando las hacía.

Hay algo que debes saber sobre estas preguntas: Cuando tratas de encontrarles el sentido, significa que intentas encontrar la lógica de acuerdo con esta realidad. Esto no tiene nada que ver con lo que realmente es.

Otra persona me dijo que obtenía respuestas similares sin importar cuál fuera la pregunta. Le dije: "Intentas considerarlas desde el punto de vista de la lógica, ¿no?".

Ella dijo: "Sí, un poco".

Le pregunté: "¿El dinero alguna vez es realmente lógico? No, el dinero es solo energía. Sigues intentando buscar la lógica de lo que es real y verdadero en vez de la consciencia de ti, que es la única fuente de lo que es real y verdadero".

Tú eres la única fuente de lo que es real y verdadero para ti, pero sigues intentando basarte en tu sentido de lo que es lógico, o intentas basarte en esta realidad, o en lo que puedes definir y confinar, o en lo que validará alguien más. ¿Y si todo lo que es verdad para ti está mucho más allá de lo que los demás pueden ver? Considerar eso es la única manera de crear tu realidad financiera.

Si intentas llevar tu realidad monetaria a otro nivel, te vas a encontrar con preguntas que crees que no funcionan. Sigue haciéndotelas y anota tus respuestas, porque la idea es cambiar tu realidad sobre el dinero.

Repasa estas preguntas varias veces

Un hombre que tomó conmigo la clase avanzada de Cómo convertirse en dinero dijo que había escuchado las clases más de cinco veces y que oía cosas diferentes cada vez que las escuchaba. Preguntó: "¿Será que olvido lo que he escuchado o lo que he aprendido? ¿Qué es?".

Le dije: "A medida que eliminas diferentes capas de limitación, escuchas las cosas desde un lugar diferente".

El tipo dijo: "Sí, me doy cuenta. Aparecen cosas diferentes que antes no habría reconocido".

Esa es la razón por la que necesitas repetir los ejercicios y las preguntas de este libro. Cuando los haces, empiezas a abrir la puerta para crear desde un lugar diferente - y una posibilidad diferente empieza a ocurrir. Así es como funcionan las cosas. Llevas miles de millones de años creando tu vida como miseria. Así que puede que necesites trabajar estas preguntas varias veces.

Si solo tienes dos o tres respuestas a una pregunta concreta en un momento determinado, eso puede ser lo máximo que consigas en un día cualquiera. ¿Por qué? Porque nunca has buscado posibilidades infinitas con el dinero. Solo has considerado las posibilidades del dinero basadas en esta realidad, así que no tendrás respuestas para esas preguntas.

Si realmente quieres tener claridad sobre el dinero, tienes que hacerte estas preguntas una y otra vez. Si las haces una vez por la mañana y otra más tarde, descubrirás que tienes dos o tres respuestas más. ¿Serán esas todas las respuestas que puedas obtener? Para ese día, sí. Luego puedes repetirlas al día siguiente o durante la semana.

~ Gary Douglas

Índice

Capítulo uno
Ser y recibir

Ésta es la primera pregunta. Por favor, escribe diez respuestas.

PRIMERA PREGUNTA: *¿Qué me niego a ser que, si lo fuera, crearía demasiado dinero en mi vida?*

____

____

____

____

____

Uno de los elementos clave para tener una vida enorme, asombrosa y creativa es la voluntad de recibir, porque para recibir tienes que estar dispuesto a ser. Lo que no estás dispuesto a ser es lo que te impide recibir.

Recibir de verdad es ser capaz de recibir toda la información que existe. Es la capacidad de percibirlo todo sin un punto de vista. Tienes que estar dispuesto a recibir si quieres tener la vida que realmente deseas.

Un participante en la *clase avanzada de Cómo convertirse en dinero* dijo: "Al hacerme la pregunta: '¿Qué te niegas a ser que, si lo fueras, crearía demasiado dinero en tu vida? Me di cuenta de aquello a lo que me negaba y que en realidad era posible. ¿Qué haría falta para elegir más de eso?".

Si estás dispuesto a ser todo dinero, puedes tener todo el dinero. Si estás dispuesto a ser todo control, puedes tener todo el control. Si estás dispuesto a ser totalmente diferente, puedes tener totalmente diferente.

> ¿Qué has hecho tan vital y valioso acerca de tus definiciones de recibir que te impiden ser realmente aquello que puede recibir? Todo lo que eso es, por un diozsillón, ¿Lo destruyes y descreas totalmente? Acertado y equivocado, bueno y malo, POD y POC, todas las 100, cortos, chicos, POVAD, creaciones, bases y más allás.[1]

Siempre que defines algo, limitas lo que puede ser y lo que puedes recibir. Eso es porque la definición en sí misma es una limitación. ¿Qué has hecho tan vital y valioso acerca de tus definiciones de recibir que te impiden ser realmente aquello que puedes recibir?

> ¿Qué te niegas a ser, que realmente podrías ser, que si realmente lo fueras te permitiría recibir todo lo que has decidido que no puedes tener, que no puedes ser, que no puedes hacer, que no puedes crear, que no puedes generar? Todo lo que eso es por un diozsillón, ¿Lo destruyes y descreas totalmente? Acertado y equivocado, bueno y malo, POD y POC, todas las 100, cortos, chicos, POVAD, creaciones, bases y más allás.

Un participante de la clase que estaba trabajando con esta pregunta dijo: "Parece que creo sistemas de valores sobre lo que haría o no haría para conseguir dinero. Cuando hago la pregunta sobre lo que me niego a ser, surge algo sobre ser un estafador".

Un estafador es un artista de la estafa o un timador, alguien que miente o engaña a la gente para que le dé dinero. Yo dije: "Todo lo que has hecho para no ser un estafador es lo que te mantiene siendo un estafador tratando de no ser un estafador para demostrar que no eres un estafador y así poder estafar a la gente sin estafarla. Ya has decidido que eres un estafador para no serlo. Tienes que preguntarte: '¿Qué me estoy negando a ser que, si lo fuera, crearía demasiado dinero en mi vida?'".

"Tienes que preguntar eso porque tienes muchos puntos de vista sobre este tema que ni siquiera sabes que tienes. Ser un timador o un estafador es probablemente uno de los diez mil puntos de vista que tienes. Intentas no ser todo lo que podrías ser que crearía demasiado dinero en tu vida con el fin de justificar que está bien no tener suficiente. No te preguntas: '¿Cómo sería si tuviera 100 millones de dólares al año para toda la eternidad?'".

Esa es tu segunda pregunta.

---

[1] "Acertado y equivocado, bueno y malo, POD y POC, todas las 100, cortos, chicos, POVAD, creaciones, bases y más allás" es el enunciado aclarador de Access Consciousness. Puedes leer más sobre él al final de este libro. Para más información sobre lo que significan las palabras y cómo funciona, visita: www.accessconsciousness.com https://www.accessconsciousness.com/en/about/how-it-works/the-clearing-statement/

SEGUNDA PREGUNTA: *¿Cómo sería si tuviera 100 millones de dólares al año para toda la eternidad?*

La mayoría de nosotros nos sentimos estafadores, timadores o farsantes porque no confiamos en que sabemos lo que sabemos cuando sabemos que lo sabemos. Dudamos de nosotros mismos. ¿Cuánta duda utilizas para detener el dinero? ¿Cuánta duda utilizas para crear la falta de dinero que estás eligiendo?

TERCERA PREGUNTA: *¿Cuánta duda utilizo para crear la falta de dinero que estoy eligiendo?*

¿Estás dispuesto a ser la voz de todas las posibilidades? ¿Cómo sería si tuvieras 100 millones de dólares al año para toda la eternidad? Es una energía. No se trata de lo que puedes comprar, sino de lo que puedes ser.

Decides que no estás dispuesto a ser algo porque crees que está mal. Por ejemplo, hace poco tuve que enseñar a Dain a mentir. Su punto de vista era: "Tienes que ser honesto. Tienes que decir la verdad, toda la verdad y nada más que la verdad, ¡que Dios te ayude!". Esto significaba que cualquiera podía mentirle, y lo hacía.

Tienes que estar dispuesto a ser y a hacer lo que sea para crear una posibilidad mayor. La única razón por la que no tienes grandes cantidades de dinero es porque no estás dispuesto a ser o hacer lo que sea necesario para crear una posibilidad mayor.

Si dices: "No quiero ser esa persona", ¿es un juicio? ¿Es una conclusión? ¿Es una definición de ti? Sí. Dondequiera que definas cualquier parte de ti, ese se convierte en el lugar donde no puedes ser todo tú.

> ¿Cuántas definiciones utilizas para evitar el dinero que podrías ganar? Todo lo que eso es, por un dioszillón, ¿Lo destruyes y descreas totalmente? Acertado y equivocado, bueno y malo, POD y POC, todas las 100, cortos, chicos, POVAD, creaciones, bases y más allás.

Si quieres convertirte en dinero, tienes que estar dispuesto a ser lo que crea dinero en vez de ser lo que te hace equivocarte.

Supongamos que te interesa jugar con joyas como forma de ganar dinero. ¿Qué tendrías que ser para que a la gente le resultara tan agradable comprarte que lo hiciera con facilidad? En vez de intentar convencer a la gente de que debe comprar algo, ¿qué pasaría si tú fueras aquello que le permitiera comprarlo? Esto, por cierto, se aplica a todos los facilitadores de Access en el planeta.

Los humanoides y el dinero

Tienes que estar dispuesto a ver lo que va a crear para ti, no lo que *crees* que va a crear para ti. La mayoría de los planes de negocio se basan en una realidad humana, pero tú eres un humanoide[2] , y los humanoides crean a partir de una posibilidad y una realidad diferentes.

Como humanoide, te interesa más lo que puedes crear que el dinero que obtienes de la creación. No haces las cosas por el dinero, sino por lo que se puede crear. Creas algo, y si alguien ve lo genial que es, se lo das en vez de ser consciente de lo que va a crear. Así son los humanoides. Son idiotas y me encantan. Así soy yo, y lo hago mucho.

Pensamos que la gente recibirá algo si lo hacemos gratis, pero, en general, las personas no reciben lo que es gratis. Cuanto más caro es, más valioso es. Esa es la realidad. Por eso los diamantes se consideran más valiosos que los zirconios. Ambos brillan, ambos salen de la tierra, ambos necesitan ser manipulados para parecer más bonitos, pero uno vale enormes cantidades de dinero y el otro básicamente nada.

____

[2] En este planeta hay dos especies de seres de dos patas. Los llamamos humanos y humanoides. Se parecen, caminan igual, hablan igual y a menudo comen igual, pero la realidad es que son diferentes. Los humanos siempre te dirán que estás equivocado, que ellos tienen razón y que no hay que cambiar nada. Dicen cosas como: "Nosotros no hacemos cosas así, así que ni te molestes". Son los que preguntan: "¿Por qué lo cambias? Está bien como está".
Los humanoides adoptan un enfoque diferente. Siempre miran las cosas y se preguntan: "¿Cómo podemos cambiarlo? ¿Qué lo mejorará? ¿Cómo podemos superarlo?". Son las personas que han creado todo el gran arte, la gran literatura y el gran progreso del planeta.

CUARTA PREGUNTA: *¿Cuánto tendría que cobrar para que la gente recibiera lo que tengo que ofrecer?*

____

____

____

____

Todo lo que no lo permita, por un dioszillón, ¿Lo destruyes y descreas totalmente? Acertado y equivocado, bueno y malo, POD y POC, todas las 100, cortos, chicos, POVAD, creaciones, bases y más allás.

QUINTA PREGUNTA: *¿Dónde me he negado a ser la verdadera fuente de cambio que elimina la consciencia de la limitación que he elegido?*

____

____

____

____

¿Qué has hecho tan vital y valioso acerca de tus definiciones de recibir que te impiden ser realmente aquello que puede recibir? Todo lo que eso es, por un dioszillón, ¿Lo destruyes y descreas totalmente? Acertado y equivocado, bueno y malo, POD y POC, todas las 100, cortos, chicos, POVAD, creaciones, bases y más allás.

¿Qué te niegas a ser que realmente podrías ser que, si de verdad lo fueras, te permitiría tener todo lo que te gustaría y no puedes ser, hacer, tener, crear y generar? Todo lo que eso es, por un dioszillón, ¿Lo destruyes y descreas totalmente? Acertado y equivocado, bueno y malo, POD y POC, todas las 100, cortos, chicos, POVAD, creaciones, bases y más allás.

La mayoría de la gente no está dispuesta a tener una vida fácil. No está dispuesta a exigir y recibir en su mundo el nivel de facilidad que creará su vida.

Un facilitador de Access me dijo: "Cuando creo una clase, a veces tengo el punto de vista de que tengo que recibir cierta cantidad de dinero para que se cree. Cuando destruyo y descreo ese punto de vista y me divierto y experimento la alegría de crear clases, es como si el universo me regalara dinero y riqueza".

Le pregunté: "¿Sabes qué es lo más importante que acabas de decir? Mencionaste lo único que hará que todo funcione para ti y la ignoraste: 'Cuando no tengo ningún punto de vista y creo clases por la diversión y la alegría de crear, el universo me regala dinero y riqueza'. La realidad es que el dinero solo llega a las fiestas donde hay consciencia y diversión".

SEXTA PREGUNTA: *¿Qué he hecho tan apropiado sobre el dinero que no puedo tener la diversión y el gozo del dinero?*

____

____

____

____

____

La mayoría de la gente piensa que la diversión y el gozo del dinero es emborracharse y desordenarse. No se trata de eso. La diversión y el gozo del dinero es la capacidad de cambiar la realidad de las personas por medio del dinero. ¿Qué has convertido en la definición de dinero que te impide tenerlo, disfrutarlo y crear más allá de esta realidad?

SÉPTIMA PREGUNTA: *¿Cuál es la definición de dinero que me impide tenerlo, disfrutarlo y crear más allá de esta realidad?*

____

____

____

____

____

OCTAVA PREGUNTA: *¿Qué intento crear para demostrar que no necesito tener demasiado dinero?*

Si te haces esa pregunta veinte o treinta veces, tomarás consciencia de lo que haces para evitar el dinero en vez de tenerlo.

> ¿Qué intentas crear para demostrar que no tienes demasiado dinero? Todo lo que eso es, por un dioszillón, ¿Lo destruyes y descreas totalmente? Acertado y equivocado, bueno y malo, POD y POC, todas las 100, cortos, chicos, POVAD, creaciones, bases y más allás.

Quieres tener lo justo, pero no demasiado, porque si tienes lo justo puedes conseguir la mayor parte de lo que quieres, así que no tienes que privarte totalmente, pero privarte totalmente en realidad te parece una buena idea a largo plazo.

> ¿Qué intentas crear para demostrar que no tienes demasiado dinero? Todo lo que eso es por un dioszillón, ¿Lo destruyes y descreas totalmente? Acertado y equivocado, bueno y malo, POD y POC, todas las 100, cortos, chicos, POVAD, creaciones, bases y más allás.

En vez de tener lo justo, ¿y si crearas algo que fuera más allá de esta realidad? Crear más allá de esta realidad no es intentar definirte a ti ni a nada de lo que haces basándote en el punto de vista de los demás. Crear más allá de esta realidad es una necesidad si quieres cambiar esta realidad.

> Todo lo que no te permite ser eso, ¿Lo destruyes y descreas totalmente? Acertado y equivocado, bueno y malo, POD y POC, todas las 100, cortos, chicos, POVAD, creaciones, bases y más allás.

NOVENA PREGUNTA: *¿Cómo he definido el dinero que en realidad no es eso?*

____

____

____

____

Hasta que no sepas cómo defines el dinero, no podrás deshacer aquello que es una limitación de lo que recibes. Tu definición de dinero se convierte en una limitación de lo que puedes recibir. También se convierte en lo que has decidido que no puedes tener. Para tener algo, tienes que estar dispuesto a serlo. Si no estás dispuesto a serlo, no puedes tenerlo, y si no estás dispuesto a tenerlo, no puedes serlo.

Ser dinero

Ser dinero es no verlo nunca separado de ti. Es ver el dinero como algo que te quiere más que tus padres. El dinero no hace nada. Simplemente aumenta tu capacidad de tener una elección diferente.

DÉCIMA PREGUNTA: *¿Cuál es la mayor cantidad de dinero que puedo estar dispuesto a ser?*

____

____

____

____

¿Leíste esa pregunta y dijiste: "¿Eh?"? Si no estás dispuesto a ser 100 millones de dólares, solo puedes crear un millón de dólares. Lo que sea que hayas tenido como ingreso anual es la mayor cantidad de dinero que estás dispuesto a ser. Tu ingreso anual define la mayor cantidad de dinero que estás dispuesto a ser.

¿Cómo se cambia eso? Considéralo y pregúntate: "¿Cuál he definido como la cantidad máxima de dinero que estoy dispuesto a ser?". Sin importar la cantidad que pienses, cuestiónala. Pregúntate: "¿Es realmente suficiente para mí?".

"¿Cuál es la mayor cantidad de dinero que estoy dispuesto a ser?" es una pregunta importante. He aquí por qué: Si consideras tu vida y dices, "La mayor cantidad de dinero que estoy dispuesto a ser es $50,000 o $100,000", ¿eso va a crear lo que quieres crear? No. ¿Va a darte la opción de crear una mayor posibilidad en el mundo? No.

Si pides la mayor cantidad que estás dispuesto a ser, entonces tienes que estar dispuesto a ser esa cantidad de dinero. ¿No estás dispuesto a ser multimillonario?

¿Cuál es la mayor cantidad de dinero que estás dispuesto a ser? Todo lo que eso suscitó, por un dioszillón ¿lo destruyes y descreas totalmente? Acertado y equivocado, bueno y malo, POD y POC, todas las 100, cortos, chicos, POVAD, creaciones, bases y más allás.

La capacidad de ser

La cantidad de dinero que estás dispuesto a ser determina la cantidad de cambio que puedes crear en el mundo. Muchas personas quieren cambiar el mundo, pero no están dispuestas a ser la cantidad de dinero que se necesita para cambiar el mundo. ¿Cómo va a funcionar eso?

Estamos empezando a desarrollar un centro turístico y educativo en Costa Rica donde la gente viene a aprender a vivir con la elegancia de la Tierra y a no abusar de ella. ¿Sabía cómo iba a pagarlo? No. ¿Sabía de dónde iba a salir el dinero? No. ¿Sabía que de alguna manera podría conseguirlo? Por supuesto que sí.

¿Por qué sabía que podía conseguirlo? Porque sé que el universo desea apoyar lo que estoy intentando crear. Esto permite al universo una posibilidad diferente, y yo estoy dispuesto a ser lo que haga falta, no importa lo que parezca, para crear una posibilidad diferente en el mundo. ¿Lo estás tú? Si el yo ser eso exigiera que tenga que morir para pagar nuestro centro en Costa Rica, lo haría. Es una forma totalmente diferente de ver el mundo. Cuando estoy dispuesto a ser lo que sea necesario para crear una posibilidad diferente, el universo se asegurará de que el dinero pueda aparecer en mi vida.

Reconoce que cuando estás haciendo aquello que apoya la consciencia del mundo, la consciencia del mundo te apoya a ti. ¿Desea la consciencia del mundo que tengas un BMW? No, no lo desea. Pero si apoyas al mundo con todo lo que haces, y pides un BMW, tendrás un BMW.

El dinero no es una fuente de creación

Mucha gente piensa que el dinero es una herramienta para crear, pero el dinero no es una fuente de creación. Tú eres la fuente de creación que crea dinero. El dinero es un perezoso de mierda. No quiere trabajar tanto. Tú, en cambio, no eres un perezoso de mierda. Te gusta trabajar duro porque te hace feliz.

¿Son la creación y la creatividad una fuente de dinero? No. El dinero es un subproducto de lo que creas. Cuando comes, ¿creas automáticamente mierda? No. La mierda es un subproducto de comer. Es una forma odiosa de decirlo. Se trata de cómo facilitas el dinero y cómo facilitas el cambio en el mundo con el dinero.

UNDÉCIMA PREGUNTA: *¿Qué puedo hacer o elegir que cree mayores posibilidades en el mundo de inmediato?*

La posibilidad no proviene del dinero. Se trata de lo que puedes elegir y de lo que puedes hacer gracias a las elecciones que crean mayores posibilidades.

DUODÉCIMA PREGUNTA: *¿Qué puedo ser, que no estoy siendo, que si lo fuera exponencializaría mi recibir fuera de la escala de esta realidad?*

Recibir solo puede ocurrir por lo que estás dispuesto a ser. Tienes que ser mucho más de lo que crees que puedes ser para aumentar tu capacidad de recibir.

He analizado miles de cosas con respecto a cómo podrían ser, cómo deberían ser, cómo podrían ser o cómo deberían ser. ¿Algo de eso era cierto? No. ¿Significaba algo? No.

DECIMOTERCERA PREGUNTA: *¿Qué he elegido como la suma total de lo que puedo ser, hacer, tener, crear y generar que me mantiene viviendo en esta realidad en vez de tener mi realidad?*

Pagar lo que haga falta para conseguir lo que quieras

Si decido que voy a comprar algo o que me gustaría conseguir algo, sé que lo tendré en alguna realidad futura; solo que aún no lo he pagado. El problema para la mayoría de la gente es que, cuando no lo ha pagado, decide que no pueden tenerlo. Cuando todavía no he pagado algo me pregunto: "Vale, ¿qué voy a tener que ser o hacer para crear esto?".

DECIMOCUARTA PREGUNTA: *¿Qué había decidido que quería en mi vida por lo que no estuve dispuesto a pagar que, si estuviera dispuesto a pagar por eso, se convertiría en mi realidad?*

¿Por qué cosa decidiste que no estabas dispuesto a pagar que, si pagaras por eso, lo harías realidad? Tienes que estar dispuesto a pagar por lo que deseas. Tienes que considerarlo y decir: "Voy a tener esto. Sé que aún no lo he pagado, pero voy a tenerlo".

La gente siempre está buscando gangas. ¿Qué pasaría si estuvieras dispuesto a pagar lo que hiciera falta para conseguir lo que quieres? Lo que no estás dispuesto a pagar lo acabas pagando con otra moneda.

En los años 30, los chinos fabricaban alfombras para exportarlas a Estados Unidos para el mercado Art Déco. Se llaman alfombras Nichols y son brillantes. Las vi por primera vez hace veinte años y pensé que eran las cosas más bonitas que había visto jamás. Las quería. ¿Necesitaba tener una? No. ¿Quería una? Sí. ¿Estaba dispuesto a pagar? En la época en que las encontré, costaban unos 500 dólares cada una. Eso fue veinte años antes de que pudiera permitirme tener una. Luego subieron a unos 1.700 dólares. Hoy rondan los 3.500 dólares, y tengo varias en casa.

> ¿Qué has decidido que querías en tu vida por lo que no estabas dispuesto a pagar y que, si estuvieras dispuesto a pagar por ello, lo harías realidad?

> Todo lo que eso es, por un dioszillón, ¿Lo destruyes y descreas totalmente? Acertado y equivocado, bueno y malo, POD y POC, todas las 100, cortos, chicos, POVAD, creaciones, bases y más allás.

Estas son las preguntas del primer capítulo.

Dentro de unas semanas, te sugiero que vuelvas a hacerlas todas. Y unas semanas después, vuelve a hacerlas. Haz las preguntas diez, doce o quince veces hasta que llegues a la consciencia de "¡Vaya! Ahora tengo una realidad totalmente distinta". Esa nueva realidad empezará a aparecer en tu vida de formas que nunca habrías esperado.

Ahora has perdido todas tus excusas. ¿Cuál va a ser tu justificación para no hacer estas preguntas?

PREGUNTAS DEL LIBRO
CAPÍTULO I

PRIMERA PREGUNTA: *¿Qué me niego a ser, que, si lo fuera, crearía demasiado dinero en mi vida?*

____

____

____

____

____

SEGUNDA PREGUNTA: *¿Cómo sería si tuviera 100 millones de dólares al año para toda la eternidad?*

____

____

____

____

____

TERCERA PREGUNTA: *¿Cuánta duda utilizo para crear la falta de dinero que estoy eligiendo?*

____

____

____

____

____

CUARTA PREGUNTA: *¿Cuánto tendría que cobrar para que la gente recibiera lo que tengo que ofrecer?*

QUINTA PREGUNTA: *¿Dónde me he negado a ser la verdadera fuente de cambio que elimina la consciencia de la limitación que he elegido?*

SEXTA PREGUNTA: *¿Qué he hecho tan apropiado sobre el dinero que no puedo tener la diversión y el gozo del dinero?*

SÉPTIMA PREGUNTA: *¿Cuál es la definición de dinero que me impide tenerlo, disfrutarlo y crear más allá de esta realidad?*

OCTAVA PREGUNTA: *¿Qué intento crear para demostrar que no necesito tener demasiado dinero?*

NOVENA PREGUNTA: *¿Cómo he definido el dinero que en realidad no es eso?*

DÉCIMA PREGUNTA: *¿Cuál es la mayor cantidad de dinero que puedo estar dispuesto a ser?*

UNDÉCIMA PREGUNTA: *¿Qué puedo hacer o elegir que cree mayores posibilidades en el mundo de inmediato?*

DUODÉCIMA PREGUNTA: *¿Qué puedo ser, que no estoy siendo, que si lo fuera exponencializaría mi recibir fuera de la escala de esta realidad?*

____

____

____

____

____

DECIMOTERCERA PREGUNTA*: ¿Qué he elegido como la suma total de lo que puedo ser, hacer, tener, crear y generar que me mantiene viviendo en esta realidad en vez de tener mi realidad?*

____

____

____

____

____

DECIMOCUARTA PREGUNTA: *¿Qué había decidido que quería en mi vida por lo que no estuve dispuesto a pagar y que, si estuviera dispuesto a pagar, lo convertiría en mi realidad?*

____

____

____

____

Capítulo dos
¿y si todo girara en torno a la posibilidad y nada girara en torno al problema?

La mayoría de nosotros tendemos a buscar el problema en vez de la posibilidad, ya se trate de dinero o de cualquier otra cosa. Tenemos tendencia a pensar: "Tengo que ocuparme de este problema". Pero ¿y si todo girara en torno a la posibilidad y nada girara en torno al problema?

Con el dinero, todo tiene que girar en torno a la posibilidad, nunca al problema, porque cuando buscas el problema, siempre crearás el problema para crear la posibilidad.

La gente dice: "Sí, pero si no tenemos nuestras necesidades cubiertas económicamente, parece un problema".

Pregunto: "¿Es realmente posible que no puedas tener cubiertas tus necesidades económicas básicas? ¿O es una mentira que sacaste del universo de otra persona?".

¿Cuál es el propósito del dinero?

Un participante de la clase que estaba haciendo estas preguntas dijo: "Estoy tomando consciencia de dónde he encerrado en mi cuerpo algunos puntos de vista sobre el dinero".

Le dije: "Todo lo que es el dinero tiene que ver con tu cuerpo y con la forma en que lo usas".

¿Cuál es el propósito del dinero? ¿Es para facilitarte la vida a ti, el ser? ¿O es para facilitarle la vida a *tu cuerpo*? ¿Un ser necesita una casa para vivir? No. ¿Un cuerpo necesita una casa para vivir? Sí.

¿Un ser necesita un coche para viajar? No. ¿Un cuerpo lo necesita? Sí. ¿Un ser necesita ropa para vestirse? No. ¿Un cuerpo la necesita? Sí. El propósito del dinero es facilitar a tu cuerpo.

Tienes que considerar esto y preguntarte: "¿El dinero facilita a mi cuerpo y eso va a crear más?". Hemos creado una separación entre nosotros y nuestros cuerpos para no crear dinero en nuestra vida.

Cada mentira que te has creído con el fin de tener una separación entre tú y tu cuerpo para no crear dinero, ¿destruyes y descreas todo eso? Acertado y equivocado, bueno y malo, POD y POC, todas las 100, cortos, chicos, POVAD, creaciones, bases y más allás.

PRIMERA PREGUNTA: *¿El dinero facilita mi cuerpo y eso va a crear más?*

____

____

____

____

____

Tenemos el punto de vista de que estamos junto con nuestro cuerpo en este juego del dinero, pero en realidad es que nuestro cuerpo es el que está en este juego del dinero.

SEGUNDA PREGUNTA: *¿Qué parte del juego del dinero estoy jugando con mi cuerpo y qué parte estoy perdiendo con mi ser?*

____

____

____

____

____

Tendemos a pensar que tenemos nuestra alma o nuestro ser, y tenemos nuestro cuerpo, y que nuestro cuerpo debería cambiar y ajustarse según nuestro ser, pero no es así como funciona. Si funcionáramos con nuestro cuerpo, podríamos ganar el juego del dinero con facilidad.

¿Te niegas a ganar el juego del dinero con facilidad al separarte de tu cuerpo para crear la pérdida de dinero en esta realidad? Todo lo que eso es, por un dioszillón, ¿Lo destruyes y descreas totalmente? Acertado y equivocado, bueno y malo, POD y POC, todas las 100, cortos, chicos, POVAD, creaciones, bases y más allás.

Si estás jugando al juego del dinero con tu cuerpo, te das cuenta de que el propósito del dinero es hacer que tu cuerpo esté cómodo. ¿Tu cuerpo se siente cómodo con lo que eliges? ¿O intentas sentirte cómodo con lo que eliges?

La mayoría de la gente intenta sentirse cómoda con lo que elige. Eso es perder, porque tú, el ser infinito, no entiende lo que es hacer que te sientas cómodo. Los seres infinitos no están incómodos; son expansivos.

Lo que haces con tu vida debería consistir en que tu cuerpo esté cómodo. Por ejemplo, yo tengo una cama muy cómoda. Tengo un colchón ortopédico de tres pulgadas y un colchón de plumón de cuatro pulgadas encima. Me encanta meterme en la cama. Pasas ocho horas al día en la cama. Tiene que ser un lugar muy cómodo.

Sé alguien que quiere comodidad, porque el cuerpo desea comodidad. Me han visitado personas que decían: "Oh, no te preocupes. Dormiré en el suelo". ¿Por qué ibas a dormir en el maldito suelo? Aquí hay una cama. Veo gente que pone sus cuerpos con sobrepeso en Spandex. Eso no puede ser cómodo. Lo hacen porque creen que los hace verse bien. Hace que su ser se sienta mejor pensar que están haciendo que su cuerpo se vea más pequeño. ¿Cómo sería si simplemente permitieras que tu cuerpo fuera más ligero porque eso es lo que funciona para él?

Esto es un reconocimiento de lo que es. El dinero no es lo mismo para ti que para tu cuerpo. ¿Tú, el ser, necesitas dinero? No. ¿Tú, el cuerpo, necesitas dinero? Sí. A ti, el cuerpo, te gusta el dinero. A ti, el ser, no te importa. La mayoría de la gente no está dispuesta a reconocerlo. No vas a ganar el juego de las posibilidades porque no buscas lo que realmente va a crear una posibilidad diferente.

> ¿Cuánto dinero utilizas para validar las limitaciones de esta realidad que te impiden vivir más allá de ella? Todo lo que eso es por un dioszillón, ¿Lo destruyes y descreas totalmente? Acertado y equivocado, bueno y malo, POD y POC, todas las 100, cortos, chicos, POVAD, creaciones, bases y más allás.

> ¿Qué es lo que no estás dispuesto a decirte a ti mismo sobre el dinero que, si realmente te lo dijeras, te liberaría para tener más dinero del que crees posible? Todo lo que eso es por un dioszillón, ¿Lo destruyes y descreas totalmente? Acertado y equivocado, bueno y malo, POD y POC, todas las 100, cortos, chicos, POVAD, creaciones, bases y más allás.

¿Has decidido que eres estúpido con el dinero?

La gente suele tener reacciones cuando gasta dinero. Dice: "¡Oh! Ahora no tendré suficiente" o "esto es todo lo que tengo por el momento". Funciona desde un punto de vista poco consciente, que es la estupidez. Puedes preguntarte: "¿Cómo puedo ser más estúpido de lo que soy actualmente con el dinero?".

La razón por la que tienes problemas para gastar dinero, la razón por la que tienes problemas para tener dinero, la razón por la que tienes problemas con cualquier cosa que tenga que ver con el dinero es que has decidido que eres estúpido con el dinero.

TERCERA PREGUNTA: *¿Cómo puedo ser más estúpido con el dinero de lo que soy actualmente?*

____

____

____

____

____

Si vas a McDonald's porque crees que debe ser bueno porque es barato, a) eres idiota, b) eres estúpido y c) estás loco. Prefiero ir a un buen restaurante y comprar un aperitivo por diez dólares que ir a McDonald's y comprar una hamburguesa, patatas fritas, una galleta y una de sus malteadas por diez dólares. Prefiero saciarme con el gozo de comer que saciarme con la barriga llena. La mayoría de la gente intenta llenar lo que llama vacío en vez de crear lo que es posible más allá del vacío. Vacío es la mentira de esta realidad.

CUARTA PREGUNTA: *¿Qué he definido como una barriga llena en vez de la saciedad de posibilidades que me impide tener el dinero que realmente me gustaría tener?*

____

____

____

____

¿Estás haciendo de barriga llena en vez de la saciedad de posibilidades? Todo lo que eso es por un dioszillón, ¿Lo destruyes y descreas totalmente? Acertado y equivocado, bueno y malo, POD y POC, todas las 100, cortos, chicos, POVAD, creaciones, bases y más allás.

¿Se puede estar realmente vacío? No. ¿Puedes ser espacio? Sí. ¿Has definido el espacio como *vacío*, o *vacío* como *carencia*?

Dondequiera que has definido vacío como carencia, ¿Lo destruyes y descreas totalmente? Acertado y equivocado, bueno y malo, POD y POC, todas las 100, cortos, chicos, POVAD, creaciones, bases y más allás.

¿Qué has definido como barriga llena que no es saciedad de posibilidades? Todo lo que eso es por un dioszillón, ¿Lo destruyes y descreas totalmente? Acertado y equivocado, bueno y malo, POD y POC, todas las 100, cortos, chicos, POVAD, creaciones, bases y más allás.

Creencias

La gente me dice que esta realidad requiere un intercambio de dinero por cosas. Yo pregunto: "¿Esta realidad exige un intercambio de dinero? ¿O cree esta realidad que tú necesitas un intercambio de dinero?". Cree que necesitas un intercambio de dinero.

¿Cuántas creencias utilizas para eliminar el dinero que podrías ganar? ¿Unos cuantos miles, unos cuantos miles de millones, un trillón, un dioszillón, o más que eso? Todo lo que es, ¿Lo destruyes y descreas totalmente? Acertado y equivocado, bueno y malo, POD y POC, todas las 100, cortos, chicos, POVAD, creaciones, bases y más allás.

¿Te has dado cuenta de que, al leer esa pregunta, surgen todo tipo de energías extrañas? Cada creencia requiere que tomes una energía extraña y la conviertas en algo que no es, especialmente con respecto al dinero. ¿Cuántas creencias utilizas para eliminar el dinero que podrías elegir? ¿No es interesante que te guste eliminar el dinero de tu vida? Te gusta no tenerlo. Ya sé que nunca lo admitirías.

¿Por qué lo harías? Para creer que puedes vivir como un ser finito en una realidad finita con una capacidad finita y flujos monetarios finitos, tienes que eliminar el ser total.

Todo lo que eso es por un dioszillón, ¿Lo destruyes y descreas totalmente? Acertado y equivocado, bueno y malo, POD y POC, todas las 100, cortos, chicos, POVAD, creaciones, bases y más allás.

Intentar encajar

Alguien me dijo que cada vez que se hacía estas preguntas, volvía a las limitaciones de intentar encajar sin destacar. Todas las limitaciones que tenemos sobre el dinero tienen que ver con encajar, sin destacar ni ser diferentes. La misma persona dijo que las cosas que le surgían eran como una disculpa por existir.

> Todo lo que has hecho para tomar la vida como una transgresión literal contra el ser, ¿Lo destruyes y descreas totalmente? Acertado y equivocado, bueno y malo, POD y POC, todas las 100, cortos, chicos, POVAD, creaciones, bases y más allás.

Le dije: "Aquí es donde tienes que preguntarte: '¿Y cuánto más loco puedo estar?'. Cuando te encuentres haciendo locuras y digas: '¡Vaya, qué locura!', no intentes detener la locura. Pregúntate: '¿Cuánto más loco puedo llegar a estar?'".

> ¿Qué energía, espacio y consciencia puedo ser para estar fuera de control, fuera de definición, fuera de limitación, fuera de forma, estructura y significado, fuera de linealidad y fuera de concentricidad como dinero para toda la eternidad? Todo lo que no permite que eso aparezca por un dioszillón, ¿lo destruyes y descreas totalmente? Acertado y equivocado, bueno y malo, POD y POC, todas las 100, cortos, chicos, POVAD, creaciones, bases y más allás.

Sigues intentando evitar lo que realmente funciona para demostrar que tu vida no funciona.

> ¿Qué energía, espacio y consciencia utilizas para crear la vida que no funciona que estás eligiendo? Todo lo que eso es, por un dioszillón, ¿Lo destruyes y descreas totalmente? Acertado y equivocado, bueno y malo, POD y POC, todas las 100, cortos, chicos, POVAD, creaciones, bases y más allás.

Aquí es donde no puedes desviarte. Tienes que empezar a ver lo que es verdad para ti y lo que crearía una realidad diferente.

Los problemas de dinero no son una realidad

Una señora me dijo que cuando hacía la pregunta: "¿Cómo sería si tuviera 100 millones de dólares al año durante toda la eternidad?", siempre recibía la respuesta de que no habría nada que arreglar ni nada por lo que soñar. Solo habría muerte y desesperación.

Le dije: "Si tuvieras 100 millones de dólares al año para toda la eternidad, ninguna de esas cosas importaría. Entonces, ¿qué te gustaría crear?". Los problemas monetarios son la creación de un problema; no son una realidad. Los creas para no tener la facilidad de crear más allá de la realidad de los demás. Es como si no quisieras vivir solo. Prefieres tener una relación muy mala para sentirte jodido.

QUINTA PREGUNTA: *Si yo no tuviera problemas monetarios, ¿qué crearía?*

____

____

____

____

____

La señora con la que hablaba también dijo: "Cuando digo que no tendría nada por lo que soñar, también está el elemento de no tener elección, porque con 100 millones de dólares al año, no podría ser yo. El dinero sería más que yo".

¿Tienes una definición de ti que te define por el nivel de dinero que tienes actualmente? Mientras el dinero sea más valioso que tú, ¿puedes elegir la consciencia? No.

> ¿Evitas la consciencia que podrías elegir por el dinero que defines que puedes tener? Todo lo que eso es, por un dioszillón, ¿Lo destruyes y descreas totalmente? Acertado y equivocado, bueno y malo, POD y POC, todas las 100, cortos, chicos, POVAD, creaciones, bases y más allás.

SEXTA PREGUNTA: *¿Cómo me he definido en función del dinero que tengo actualmente?*

____

____

____

____

____

Si tuvieras que crear tu realidad más allá de la realidad de los demás, ¿qué ocurriría? Tendrías que llegar a un punto en el que tu cerebro se fuera a almorzar, y la posibilidad empezara a comerse las limitaciones de tu realidad para que empezaras a crear una realidad que realmente funcionara para ti. Está dispuesto a ser la consciencia de esas posibilidades.

Pregunta: "¿Qué necesito hacer o qué necesito ser para que esto se actualice con total facilidad?". Eliges ser consciente, pero en vez de serlo realmente, sigues intentando ver que es necesario algo más, que es adecuado algo más o que debe suceder algo más.

No es: "Tiene que suceder algo más". Es: "¿Qué tengo que ser o hacer para actualizar esto?".

Un hombre me dijo: "Puedo percibir el espacio en el que estoy, en el que pido e invito a posibilidades infinitas, y entonces mi mente se pone a pensar en el dinero. Piensa en los números y en cuánto necesito para crear. Se apodera de mí. Es como una respuesta automática. No sé qué elegir o cambiar al respecto".

Le dije: "Tu mente es siempre una respuesta automática. Eso es todo lo que es. Tu mente no sabe hacer otra cosa que responder automáticamente. ¿Por qué le harías caso?".

Me dijo: "Sí, pero ¿cómo sé cuánto crear?".

Le dije: "Estás intentando llegar a una conclusión. No intentas saber".

Me dijo: "Es cierto. Entonces, cuando tenga la cantidad que quiero ganar cada mes, ¿solo tengo que preguntar qué se requiere para que aparezca?".

Le dije: "Sí. Pregunta: '¿Qué puedo ser, hacer, tener, crear o generar que permita que esto aparezca?'".

¿Alguna vez pides a la consciencia del universo que te contribuya?

El universo te respalda cuando le pides que te envíe lo que necesitas. Tienes que pedirle que te contribuya. ¿Alguna vez le pides a la consciencia del universo que te contribuya? Nunca. Le pides a algún estúpido que venga y te diga lo que tienes que hacer. Pides a alguien que sepa más que tú. Pides todo excepto que la consciencia, que sabe más que tú en todos los aspectos, te lo dé. ¿Qué pasaría si estuvieras dispuesto a tener eso?

Alguien me dijo: "Has dicho que has creado una realidad financiera más allá de lo que la mayoría de la gente jamás ha tenido. ¿Es ahí donde sabes que el universo te respalda y que tendrás más - porque el universo apoya lo que estás creando?".

Le dije: "Sé que yo me respaldo y que el universo también lo hará, porque las tengo. Sé que no estoy dispuesto a rendirme, y mientras yo no lo esté, el universo tampoco lo hará".

El dinero es algo que puedes usar para cambiar la realidad de la gente

Tienes que analizar estas cosas. Si vas a hacer algo con dinero, pregúntate: "¿Cómo va a cambiar esto la realidad?". Esa es la pregunta con la que debes vivir. Pregúntate: "¿Qué va a crear el dinero? ¿Qué va a cambiar?"

Hoy Dain y yo hemos comido en uno de nuestros restaurantes favoritos. La anfitriona nos adora. Nos sonríe y nos cuida. Cuando entra Dain se pone muy contenta. Le mira con deseo en los ojos. Cuando me fui hoy, le di una propina de 40 dólares. Nadie da propina a una anfitriona. Simplemente no se hace. ¿Cambié su realidad con 40 dólares de propina? Por supuesto.

El dinero es algo que se utiliza para cambiar la realidad de la gente. ¿Qué cantidad de dinero puedes utilizar para cambiar la realidad de alguien? He contado mil veces la historia de cuando entré en un restaurante, pedí un café y una dona. La mujer que me atendió era lenta e insegura. Era su primer día de trabajo y nunca había sido camarera. Tenía dificultades. La cuenta ascendió a 6 dólares. Dejé 12 sobre la mesa. Salió corriendo detrás de mí cuando me iba, diciendo: "Señor, me ha dado demasiado dinero".

Le dije: "No, es un reconocimiento de que harás el trabajo, sobrevivirás y estarás bien. No te preocupes y estarás bien". El cambio en su mundo por seis malditos dólares fue dinámico. No era la cantidad. Era el pensamiento. En cada momento, tienes que preguntarte: "¿Cómo puedo usar el dinero que tengo para crear una realidad diferente para alguien ahora mismo?". Tienes que estar dispuesto a considerar eso, porque el propósito del dinero no es tener más de las cosas que crees que necesitas poseer.

¿Cómo quieres vivir tu vida?

Alguien me dijo: "En poco tiempo, he experimentado ser multimillonario y he experimentado la bancarrota, y no veo qué hice para tener una cosa frente a la otra".

Le dije: "No se trata de uno contra otro. La pregunta es '¿Cuál es más divertido?'. Ser dinero implica más facilidad que ser pobre. Implica más facilidad porque eres más tú. La mayoría de la gente no quiere entender esto. ¿Y si estuvieras dispuesto a ser ese nivel de dinero en la vida? ¿Qué podrías crear como tu realidad?".

Tienes que ver cómo quieres vivir tu vida, porque cuando empiezas a crear tu vida, el universo empieza a dártela. Cuando era joven y tonto y no tenía dinero, a menudo estaba cerca de una tía que tenía mucho dinero. Tenía cosas preciosas, alfombras preciosas, vajilla preciosa, cristal y cubiertos de plata con los que comía todos los días. Esa era su realidad. Yo decía: "¡Quiero vivir así!".

¿Tenía dinero para hacerlo? No. ¿Sabía cómo iba a conseguirlo? No. ¿Sabía que quería vivir así? Sí. Empecé a salir y a comprar cosas por diez dólares que valían más que eso. Empecé a crear un estilo de vida que incluía cosas bonitas que indicaban hacia dónde quería ir, cosas que alguien poseería si tuviera verdadera riqueza en su vida. No se trataba de lo que yo tenía, sino de lo que podía tener si estaba dispuesto a llegar hasta allí. Hoy vivo en una casa llena de cosas bonitas, dignas de museo.

Tienes que ser el gurú de tu propia realidad. Eres el único ser superior que va a crear la realidad que eres capaz de crear. Si crees que otro puede hacerlo, estás loco. Lo único que no estás dispuesto a mirar es "Soy totalmente estúpido, estoy totalmente loco, y estoy jodidamente loco más allá de mi realidad más salvaje".

Eso es lo que soy. Pero debido a mi locura, a mi disparate, a todo lo que estoy dispuesto a ser, he creado una realidad financiera que pocas personas tienen en el planeta. Intenta preguntarte: ¿Qué energía, espacio y consciencia puedo ser para ser tan estúpido, loco y escandaloso como realmente soy?

Crear más allá de esta realidad

Hay una forma de crear en este planeta en esta realidad que se basa en la conclusión.

Funciona hasta cierto punto, pero llega un momento en que ya no funciona. Por eso hay que crear más allá de esta realidad.

Cuando supe que concluir era una forma de detenerme, dije: "A la mierda con esto. No voy a concluir sobre nada. Voy a cuestionarme todo". Puedo decir eso 1.000 veces, y nunca lo oirás. Siempre elegirás conclusión sobre posibilidad. Vuelves a una conclusión porque no estás dispuesto a preguntar: "¿Qué pregunta tengo que hacerme para crear una realidad diferente con total facilidad?".

Tienes que crear más allá de esta realidad. La conclusión funciona solo mientras no estés dispuesto a expandir tu vida más allá de la realidad de los demás. Digamos que tienes un millón de dólares. Eso está muy bien, pero ¿qué va a cambiar? ¿Van a cambiar mucho 10 millones de dólares? No si te aferras a ellos. ¿Pero un punto de vista diferente va a cambiar la realidad? Sí.

Tienes que elegir. Tienes que decir: "No voy a llegar a una conclusión con esto". La gente me pide que llegue a una conclusión, y yo digo: "Veo tu punto de vista, ¿y qué más es posible? ¿Qué no has considerado? ¿Qué no se te ha ocurrido?".

Tu elección, tu consciencia y tu punto de vista no requieren dinero. Tu punto de vista puede cambiar la realidad; tu dinero no. Tienes que mirar:

> ¿Qué punto de vista puedo tener para crear una realidad monetaria superior a la que tengo actualmente con total facilidad? Todo lo que eso es, por un dioszillón, ¿lo destruyes y descreas totalmente? Acertado y equivocado, bueno y malo, POD y POC, todas las 100, cortos, chicos, POVAD, creaciones, bases y más allás.

SÉPTIMA PREGUNTA: *¿Qué punto de vista puedo tener que crearía una realidad financiera diferente para mí hoy?*

____

____

____

____

____

Hablaba con alguien que me decía: "Una parte de mí se frustra porque no estoy dispuesto a hacer lo que haga falta. No estoy dispuesto a trabajar cuarenta y ocho horas al día para ganar todo el dinero que deseo. No me parece divertido. Preferiría estar fuera jugando".

Le pregunté: "¿Y si lo que hicieras para crear dinero fuera jugar? No quieres creer que es posible divertirse con lo que haces para crear dinero".

La gente ve lo que hago y me pregunta: "¿Cómo puedes trabajar tanto?".

Yo digo: "¡Porque es divertido!".

Anoche Dain estuvo despierto hasta las dos de la mañana, ocupándose de algunas cosas para nuestro negocio. Se quejó, pero lo disfrutó. ¿Cómo sé que lo disfrutó? Porque siguió haciéndolo cuando tuvo la oportunidad de no hacerlo. Refunfuñar también es divertido. Quejarse es divertido. ¿Lo entiendes? Es divertido quejarse.

Envenenar el pozo de las posibilidades

Cuando la gente te dice: "No puedes hacerlo", eso es envenenar el pozo. Cuando la gente dice: "Eso no puede ser posible", eso es envenenar el pozo. Y el pozo es la savia de la posibilidad.

> ¿Has tenido personas que envenenaron el pozo de la posibilidad que nunca reconociste? Todo lo que has hecho para que, de alguna manera, ese envenenamiento sea real, ¿Lo destruyes y descreas totalmente? Acertado y equivocado, bueno y malo, POD y POC, todas las 100, cortos, chicos, POVAD, creaciones, bases y más allás.

Teníamos un informático que intentaba crear elementos para los sistemas para Access. Me dijo que lo que una de mis amigas había creado para nuestro elemento de TI era una mierda total y absolutamente inutilizable. Luego siguió adelante y lo utilizó durante doce meses. Lo miré y dije: "¡Está intentando envenenarme contra ella! ¿Eso crea más posibilidades o menos posibilidades?".

Cuando me di cuenta de eso, ¿creó algo diferente? Sí. Por un lado, me devolvió a mi amiga. No tuve que pensar que ella había hecho algo contra mí. La gente como el informático hace este tipo de cosas para envenenarte contra los demás.

> Dondequiera que te hayan envenenado contra los que crearán más posibilidades, ¿Lo destruyes y descreas totalmente? Acertado y equivocado, bueno y malo, POD y POC, todas las 100, cortos, chicos, POVAD, creaciones, bases y más allás.

> ¿Cuántas veces, cuántos lugares, cuántas formas y eventos de envenenarte contra otros se han hecho para impedirte tener el brillo de la conexión que siempre te apoyará? Todo lo que eso es, por un dioszillón, ¿Lo destruyes y descreas totalmente? Acertado y equivocado, bueno y malo, POD y POC, todas las 100, cortos, chicos, POVAD, creaciones, bases y más allás.

Supongamos que alguien te dice: "Creo que tu mujer te engaña". ¿Eso es envenenar el pozo de tu afecto? Totalmente.

Si alguien te dice: "Esa persona no es tu amiga", ¿respondes: "Sí, lo es"? ¿O dices: "No estoy seguro" o "Tengo que preguntárselo"? ¿O creas una separación respecto de esa persona para creer que lo que te han dicho es cierto?

Cuando Dain llegó a Access, la gente me decía: "Te va a robar todos los clientes y te va a abandonar". Lo miré y dije: "No, eso no es cierto". Entonces dije: "Vale, roba mis clientes.

¿Me gustan todos lo suficiente como para quedármelos? No. Siéntete libre de robarlos". Y por supuesto, Dain ha robado todos mis clientes y se ha ido. No es cierto.

Tienes que estar dispuesto a mirar algo y decir: "Eso no es verdad". ¿Te engañaría tu marido o tu mujer? Sí. ¿Bajo qué circunstancias? En las circunstancias en que envenenaras el pozo de tus propias posibilidades. Donde cortas tu consciencia es donde envenenas el pozo de las posibilidades.

Hablaba con una señora que me decía: "Mi familia me daba dinero y yo lo recibía y luego me decían que era mala con el dinero porque lo recibía. Es como si estuvieran envenenando el pozo de mi recibir".

> ¿Cuántos envenenamientos del pozo de tu ser utilizas para limitar tu recibir? Todo lo que eso es, por un dioszillón, ¿Lo destruyes y descreas totalmente? Acertado y equivocado, bueno y malo, POD y POC, todas las 100, cortos, chicos, POVAD, creaciones, bases y más allás.

Bien, este es el final del capítulo dos. Por favor, vuelve a hacer las preguntas del capítulo uno. Y luego responde a las preguntas de este capítulo.

<h1 style="text-align:center">PREGUNTAS DEL LIBRO DE EJERCICIOS
CAPÍTULO II</h1>

PRIMERA PREGUNTA: *¿El dinero facilita mi cuerpo y eso va a crear más?*

____

____

____

____

____

SEGUNDA PREGUNTA: *¿Qué parte del juego del dinero estoy jugando con mi cuerpo y qué parte estoy perdiendo con mi ser?*

____

____

____

____

TERCERA PREGUNTA: *¿Cómo puedo ser más estúpido con el dinero de lo que soy actualmente?*

____

____

____

____

CUARTA PREGUNTA: *¿Qué he definido como una barriga llena en vez de la saciedad de posibilidades que me impide tener el dinero que realmente me gustaría tener?*

QUINTA PREGUNTA: *Si yo no tuviera problemas monetarios, ¿qué crearía?*

SEXTA PREGUNTA: *¿Cómo me he definido en función del dinero que tengo actualmente?*

SÉPTIMA PREGUNTA: *¿Qué punto de vista puedo tener que crearía una realidad financiera diferente para mí hoy?*

Capítulo tres
Confiar en uno mismo

A veces la gente me dice que no confía en sí misma. Pero si no confías en ti mismo, ¿cómo vas a tener dinero o recibir algo? Cuando te crees la mentira de no confiar en ti, también adquieres la mentira de no confiar en que el universo contribuirá o proveerá. No estás dispuesto a ser parte del universo en el que se puede confiar.

¿Qué has hecho tan vital para no tener nunca confianza en ti que te mantiene buscando eternamente la necesidad de destruirte y de nunca salvarte? Todo lo que eso es, por un dioszillón, ¿Lo destruyes y descreas totalmente? Acertado y equivocado, bueno y malo, POD y POC, todas las 100, cortos, chicos, POVAD, creaciones, bases y más allás.

PRIMERA PREGUNTA: *¿En qué parte del universo puedo confiar? ¿Y en qué parte de mí no confío?*

Cuando empieces a analizar esas dos preguntas, obtendrás muchas respuestas sobre dónde te encuentras. ¿Confías en ti mismo? ¿Sabes quién eres? No. ¿Por qué? Porque eres como un día. Nunca eres el mismo dos veces. Cambias cada día, así que ¿cómo puedes confiar en que serás el mismo? No puedes, y a la gente no le gusta que no seas el mismo. Quiere que seas coherente. Ve la vida desde el punto de vista de que lo que te hace digno de confianza es no salirte nunca de lo establecido y no ser nunca diferente. Nadie confía en ti cuando cambias constantemente. Incluso si eres digno de confianza y cubres las espaldas de alguien, no podrá verlo. Solo puede ver que estás cambiando y concluirá que no eres digno de confianza.

El hecho de que intentes utilizar las conclusiones ajenas para determinar lo que te iguala es un problema. Dudas de ti mismo porque percibes que la otra persona no confía en ti. Buscas cambiarte para que confíen en ti, pero tú cambias constantemente, así que nunca lo harán.

¿Por qué querrías que alguien confiara en ti? ¿Por qué no ibas a confiar en ti? Si no confías en ti mismo, ¿cómo vas a tener dinero o a recibir algo?

> ¿Qué has hecho tan vital sobre no tener nunca confianza en ti que te mantiene buscando eternamente la necesidad de destruirte y no salvarte nunca? Si no puedes salvarte, no puedes ahorrar el dinero, porque tienes que ser dinero para tener dinero. Todo lo que es, ¿Lo destruyes y descreas totalmente?

El poder no viene de ser consistente

La mayoría de nosotros tuvimos padres que nos dijeron: "Tienes que ser consistente". ¿De verdad tienes que ser consistente? No. ¿Qué tienes que ser? Tienes que ser inconsistente. Cuando intentas ser consistente, debes sentarte a juzgar todo lo que haces y eliges.

¿Intenta ser consistente con el dinero? Sí, ¿y cómo te funciona? No funciona. Juzgas cada centavo que gastas y cada centavo que ganas. Juzgas todo lo que haces con el dinero. ¿Eso va a crear más dinero? No. Tu mayor juicio sobre ti es que no eres consistente, y sin embargo tu inconsistencia es la mayor fuente de poder para ti, que es por lo que intentas deshacerte de ella. No deseas ser poderoso.

> ¿Qué energía, espacio y consciencia puedes ser para ser tan totalmente inconsistente como verdaderamente eres? Todo lo que eso es, por un dioszillón, ¿Lo destruyes y descreas totalmente? Acertado y equivocado, bueno y malo, POD y POC, todas las 100, cortos, chicos, POVAD, creaciones, bases y más allás.

Cuando hace poco despedí a nuestros abogados en Estados Unidos, los de Irlanda se asustaron un poco porque no sabían si iba a despedirlos a ellos también. Ahora están más alerta. ¿Quién tiene el poder? Nosotros. Hay que ser inconsistente; hay que estar dispuesto a cambiar en un abrir y cerrar de ojos para crear lo que es posible.

Cuando conocí a Dain, estaba en una relación que no funcionaba, y en un día, la dejó y se mudó. Eso me encantó. Así funcionaba yo antes de casarme. Una vez que tuve hijos, pensé que tenía que ser consistente. Lo curioso es que cuando dejé de ser consistente, mis hijos resultaron ser mucho más hábiles para ajustar sus vidas que otros niños. La consistencia te exige que renuncies a todo para tener consistencia. La inconsistencia es la mayor fuente de poder para ti.

Buscas lo que es consistente en tu vida, como el alquiler y las facturas. Esos son consistentes. ¿Tienen algo que ver contigo? ¿O tienen que ver con lo que tienes que pagar? ¿Cuánta creatividad, cuánta capacidad creativa utilizas para pagar las cosas de tu vida con las que tienes que lidiar constantemente? Esas cosas no tienen que ver con confiar en ti.

> ¿A cuánto de ti has renunciado para ser consistente en tus finanzas, tu dinero y tu trabajo por toda la eternidad? Todo lo que eso es, por un dioszillón, ¿Lo destruyes y descreas totalmente? Acertado y equivocado, bueno y malo, POD y POC, todas las 100, cortos, chicos, POVAD, creaciones, bases y más allás.

¿Qué es más importante, ser consistente o ser consciente? Ser consciente. ¿Qué has elegido? ¿La consciencia? ¿O la consistencia?

SEGUNDA PREGUNTA: *¿Dónde soy consistente en mi vida que podría ser inconsistente y qué elección puedo tener que me permita ser inconsistente?*

____

____

____

____

____

¿Dónde gastas tu dinero?

Fíjate en dónde gastas tu dinero, para saber si es ahí donde realmente quieres gastarlo. ¿Quieres gastar tu dinero en una taza de café al día? ¿O quieres crear algo más en tu vida que aún no te has permitido tener?

Cuando vi cuánto gastaba en café, me dije: "Un momento. Lo que realmente quiero es tener más de esto en mi vida", y empecé a buscar cómo podía crear más de eso. Poco a poco, esas se convirtieron en las cosas en las que gastaba mi dinero. Reduje el café y me gastaba 20 dólares a la semana en comprar algo que quisiera tener en mi vida, una antigüedad o algo que fuera a valer más de lo que estaba pagando por ello.

Eso es crear riqueza desde el punto de vista de preguntarse: "¿Qué puedo comprar o hacer que me vaya a dar un mayor rendimiento que cualquier otra cosa?".

La consciencia es posibilidad. ¿Qué energía, espacio y consciencia pueden crear esto? Empieza a observar todo lo que intentas crear y comprueba si realmente funciona para ti. Si no comienzas a funcionar desde este punto de vista te estás preparando para perder.

Supervivencia frente a prosperidad

Hablé con una señora que había aceptado un trabajo nuevo. Antes de aceptar el trabajo, hizo una hoja de cálculo y vio que el sueldo cubriría sus gastos básicos y probablemente no mucho más. Se preguntó: "Si acepto este trabajo, ¿cómo será mi vida dentro de cinco años? Si no acepto este trabajo, ¿cómo será mi vida dentro de cir co años?". Aceptar el trabajo le pareció ligero y expansivo, así que lo aceptó. Luego empezó a calcular cómo mantener sus gastos por debajo de los ingresos que obtendría, y eso le pareció realmente contractivo. Me preguntó: "¿Cómo puedo aprovechar las posibilidades que se me presentan?

Le dije: "Estás buscando cómo recortar gastos para vivir dentro de tus posibilidades. ¿Tiene eso algo que ver con crear una vida? No. En algún momento te creíste la idea de que la vida consiste en sobrevivir y no en prosperar".

¿Tú has hecho lo mismo? Esta es la pregunta que debes hacerte:

PREGUNTA TRES: *¿Dónde confío solo en sobrevivir y en dónde evito todo lo que me permitiría prosperar?*

____

____

____

____

____

Le pregunté a la señora que intentaba recortar gastos: "¿Cuántas horas al día tienes que trabajar en tu empleo?". Calculamos que dedicaba ocho horas a trabajar, ocho a dormir, dos a desplazarse y tres a comer, cuidar de su cuerpo y prepararse para ir a trabajar. Le dije: "Eso deja tres horas en las que haces ¿qué?".

Dijo: "Supongo que desperdicio ese tiempo".

Le dije: "Así es. Desperdicias ese tiempo. No te preguntas: '¿Cómo puedo utilizar este tiempo para crear más en mi vida: más dinero, más posibilidades, más opciones, más de todo? Tienes que conseguirlo todo. Te esfuerzas demasiado por llevar una vida normal. Tienes que preguntarte: 'Si estuviera dispuesta a tener todo el dinero que pudiera tener, ¿viviría mi vida desde una realidad normal?'. ¡No!"

¿Dónde estás creando tu vida como normal en vez de como una posibilidad infinita? Eso es lo que tienes que considerar.

CUARTA PREGUNTA: *¿Dónde estoy creando mi vida como algo normal en vez de como una fuente de posibilidades?*

____

____

____

____

____

Si no eliges, nada puede cambiar

La elección es lo más útil que existe, porque cada vez que eliges, algo ocurre. ¿Cómo puedes cambiar algo si no estás eligiendo? No se puede. Si no eliges, nada puede cambiar.

Es importante tomar una decisión tanto si crees que va a funcionar como si no. La mujer que tomó la decisión de aceptar el nuevo trabajo y luego empezó a ver cómo no iba a funcionar llegó a la conclusión de que había tomado una decisión equivocada, lo que significaba que todo lo que estaba bien en esa elección no podía entrar en su consciencia. No podía entrar en su vida y crear algo mejor para ella.

La conclusión no tiene nada que ver con la creación. Hay que ver algo desde el punto de vista de "hice una elección". Por ejemplo, yo elegí optar por una determinada solución informática. Llegamos al punto en que se suponía que estaba terminada antes de descubrir que en realidad no podía funcionar. Todo el mundo empezó a preguntarse: "¡Dios mío! ¿Deberíamos hacerlo?".

Le dije: "Sí. Adelante, hazlo y lo corregiremos en la medida que sea necesaria. Si tenemos que aplazarlo un poco y corregirlo, ¿nos va a costar más dinero? Sí. ¿Es eso acertado o equivocado o bueno o malo o qué? Simplemente es".

Elegí y cuando lo hice, llegamos al día en que se suponía que debía estar en funcionamiento y no podía aceptar los pagos que llegaban. No podía hacer lo que necesitábamos. Requeríamos una solución diferente, y ahora la estamos buscando, cueste lo que cueste, la encontraremos.

Me refiero a reconocer que hay que mirar algo y preguntarse: "¿Esto funciona como lo necesito? ¿Sí o no? Si la respuesta es no, entonces haz algo diferente. Hay que estar dispuesto a cambiar en un abrir y cerrar de ojos. La mayoría de las personas están tan preocupadas por ser consistentes que eliminan su capacidad creativa, sin embargo, lo que crea más dinero es tu capacidad creativa.

> ¿Cuánto dinero has perdido en tu necesidad de ser consistente? Todo lo que eso es, por un dioszillón, ¿Lo destruyes y descreas totalmente? Acertado y equivocado, bueno y malo, POD y POC, todas las 100, cortos, chicos, POVAD, creaciones, bases y más allás.

¿Posibilidad, elección o locura?

¿Qué quieres crear como y desde la posibilidad, la elección o la locura? Es solo una elección. La mayoría de la gente elige las cosas más locas que puede, pensando que esa es la manera de crear algo.

> ¿Qué has hecho tan vital sobre resistirte a la facilidad de crear y ganar dinero que te mantiene buscando las dificultades en vez de las posibilidades en cada elección? Todo lo que eso es, por un dioszillón, ¿Lo destruyes y descreas totalmente? Acertado y equivocado, bueno y malo, POD y POC, todas las 100, cortos, chicos, POVAD, creaciones, bases y más allás.

Yo sabía de un tipo que tenía 3000 dólares en su vida. Me dijo: "Realmente necesito ganar dinero y tengo una gran oportunidad de invertir en algo que me va a dar un rendimiento del 2000%".

Le dije: "Bueno, si quieres invertir en eso, siéntete libre. No es lo que yo elegiría". ¿Por qué no lo elegiría? Porque si es demasiado bueno para ser verdad, es demasiado bueno para ser verdad. Tienes que estar dispuesto a ver lo que es, no lo que te gustaría que fuera. He visto a demasiada gente intentar crear las cosas como "deberían" ser en vez de preguntarse: "¿Cómo puedo crear esto de una manera que realmente funcione para mí?".

Eliges las cosas más descabelladas para demostrar que tienes posibilidades. Intentas demostrar que no es una elección imposible, intentas demostrar que es lo que hay que hacer, intentas demostrar todo tipo de cosas. Pero poco de ello tiene que ver con lo que es realmente cierto.

Si yo fuera el tipo que tiene 3000 dólares, ¿qué decisión tomaría? Me preguntaría: "Si me lo voy a gastar, ¿en qué me lo puedo gastar que vaya a crear riqueza? ¿Qué va a crear riqueza?".

La mayoría de la gente ve la posibilidad como el momento en el que eligen algo que parece bueno a primera vista, les haga ganar dinero o no. Dicen: "Esto parece un muy buen negocio".

Yo no hago eso. Pregunto: "¿Puedo conseguir algo mejor que esto?". ¿Qué pasaría si pudieras, quisieras o fueras capaz de crear una mayor posibilidad, un mayor resultado y una mayor elección?

Crees que tienes que saltar de un acantilado para demostrar que hay posibilidades. Prefieres llegar a una conclusión antes que saltar a la consciencia. ¿Qué hay de ser pragmático? ¿Qué hay de elegir? ¿Qué hay de hacer una pregunta? Antes de comprar algo, pregunto: "¿Hay rebajas en este traje?". "¿Puedo conseguir una oferta mejor?" o "¿Cuál es la mejor oferta que puede hacerme?".

¿Qué quiere crear?

Tienes que fijarte en lo que estás dispuesto a crear. ¿Qué quieres crear? ¿Estás dispuesto a ver lo que realmente quieres crear? No. Solo quieres crear algo mejor que lo que tienes actualmente.

Una señora me dijo: "Llevo toda la vida preguntándome qué quiero crear. La verdad es que no sé lo que quiero crear. Solo sé que es algo diferente".

Le dije: "Eres una humanoide. La única forma de saber lo que quieres crear es hacer algo hasta que sabes que no quieres hacerlo. Crees que si ya no quieres hacer algo, eres una fracasada. No eres una fracasada. Eres una humanoide, pero tienes que estar dispuesta a ser una fracasada; de lo contrario, juzgas cada elección que haces como si el juicio, y la elección basada en ese juicio, fueran a crear más".

El problema de hacerse mayor al ser humanoide es que lo que no quieres crear se te hace evidente muy rápidamente. Dices: "¡Oh! No quiero hacer esto. ¿Qué me pasa? ¿Soy estúpido? Oh sí, lo soy. ¿Qué me pasa que no puedo decidir lo que realmente quiero hacer?".

Harás algo durante tres semanas y luego lo superarás. Pensarás: "¿Qué demonios? ¿Realmente quería crear eso o no?". Creaste hasta donde querías llegar y luego lo superaste.

¿Recuerdas la primera pregunta del capítulo uno? "¿Qué me niego a ser que si lo fuera crearía demasiado dinero en mi vida?". ¿Estás dispuesto a ser un fracasado?

¿Qué energía, espacio y consciencia puedo ser que me permita ser el fracaso absoluto y total que realmente soy? Todo lo que eso es, por un dioszillón, ¿Lo destruyes y descreas totalmente? Acertado y equivocado, bueno y malo, POD y POC, todas las 100, cortos, chicos, POVAD, creaciones, bases y más allás.

Superar la zona de confort

Estábamos hablando de saber lo que quieres crear en la *clase avanzada de Cómo convertirse en dinero*, y alguien dijo: "Al final de mis creaciones, parece haber un juicio del tipo: 'Esto no es suficiente'. Yo no digo, '¡Viva! Lo he conseguido. ¿Qué otra cosa es posible?' Me siento equivocado por lo que he creado".

Yo le dije: "'Esto no es suficiente' no es un juicio. Es una consciencia. Podrías preguntarte: '¿Qué podría crear o generar que fuera más que suficiente para mí?'. Estás intentando crear sin salir de tu zona de confort".

Tu zona de confort es un lugar donde sabes "puedo crear lo suficiente. Esto está bien para mí". No eliges ir más allá. ¿Qué haría falta para cambiar esto? Elegir.

Pregunta: "¿Qué es lo más incómodo que podría elegir ser hoy?". Por ejemplo, tienes que estar dispuesto a cobrar por tus servicios una cantidad que te haga sentir incómodo. ¿Qué es valioso para ti? ¿Qué valor tiene para ti tu tiempo?

Durante un tiempo cobré 1250 dólares la hora por sesiones privadas. La gente me llamaba y lloraba, "¡Oh, mi vida apesta! Bla, bla, bla". ¿Quiero escuchar esa basura? No. Así que me pregunté: "¿Cuánto tendría que cobrar para que la gente fuera directamente al grano y pudiéramos tratarlo?". Cambié mi tarifa por hora a \$2500. Ahora, con 2500 dólares, el noventa y cinco por ciento de mis sesiones solo duran media hora en vez de una hora. La gente ya no va a todas sus lágrimas y esas cosas. Van directamente a lo que quieren manejar. No gano mucho más dinero, pero no tengo que escuchar todas esas otras cosas. A mí me funciona.

¿Estás dispuesto a preguntar: "Cuánto vale mi tiempo para mí"? O dices: "Sé que esa cantidad es mucho más de lo que me siento cómodo cobrando". Averigua cuánto vale tu tiempo para ti y conseguirás clientes que se sientan cómodos gastándose esa cantidad de dinero. Piensa en triplicar tus tarifas. O quizá quieras preguntarte: "¿Qué energía, espacio y consciencia puedo ser, para ser totalmente pobre y vivir en la calle para toda la eternidad?".

¿Estás dispuesto a vivir en la calle? ¿No? Vale, entonces, ¡tienes que cobrar!

Puede que seas una de esas personas que concluyen: "Bueno, la gente no me pagará tanto" o "No valgo tanto". ¿Qué pregunta es esa? No es una pregunta. Es una conclusión - y si es una conclusión, ¿puede entrar algo más en tu realidad? No.

¿Quieres cambiar tu conclusión o quieres cambiar tu realidad?

¿Qué deseas?

O puede que seas una de esas personas tan snobs que no pides dinero. Dices: "Oh, bueno, en realidad no lo necesito". Eso se llama: "Soy tan esnob que me voy a quedar sin casa en la calle para ser superior a todo el mundo siendo un sintecho".

Algunas personas equiparan pedir más dinero con mendigar. Son tan elitistas que nunca pedirían dinero. Sin embargo, dirán: "Arréglame, Gary, quiero una realidad diferente". Cuando les doy una manera de arreglarse, dicen: "Oh. Soy demasiado snob para hacer eso".

¿Qué es lo que no eres que te daría todo lo que deseas? Ni siquiera sabes todo lo que deseas porque lo que deseas no es un universo cognitivo. Crees que una vez que lo tengas claro, una vez que lo tengas actualizado cognitivamente, todo saldrá bien. Pero no es así como funciona. Cuando nos involucramos en la creación de nuestro centro en Costa Rica, no tenía ni idea de cómo podríamos pagarlo. Nos involucramos en ello de todos modos, y finalmente hicimos el primer pago por el terreno. De hecho, ¡estamos en camino!

Cuando hablaba de cómo lo hicimos y de todo lo que tuvimos que solucionar, alguien me dijo: "Gary, claro que puedes hacerlo. Tú eres así. Pero ahora estamos hablando de mí".

Le dije: "Tienes que usar la pregunta: ¿Qué no estoy siendo que me daría todo lo que deseo en la vida?". Estoy dispuesto a serlo todo en la vida, a hacer cualquier cosa, a tener cualquier cosa, a crear cualquier cosa y a generar cualquier cosa porque no tengo el punto de vista de que no puedo. También soy consciente de que cada vez que elegimos algo, el universo abre cincuenta y cinco puertas para que miremos dentro. Pero tú nunca miras dentro.

Mirar hacia dentro es preguntarse: "Si elijo esto, ¿qué va a crear? Si elijo esto, ¿qué va a crear? Si elijo esto, ¿qué va a crear?". Se trata de tu elección. No se trata del resultado que buscas.

Estoy siendo lo que va a crear y generar más consciencia. Te fijas en cuánto dinero vas a ganar. Ese nunca es mi criterio, y lo que pasa es que parece que cada vez gano más dinero.

El dinero es un subproducto de tu elección. La elección no crea dinero. El dinero es el resultado de elegir.

Creas consciencia con cada elección que haces

La única forma de que tu vida te resulte satisfactoria es que busques crear una vida más grandiosa. Hace un par de años, tuve una conversación con un amigo sobre la búsqueda de una vida más grandiosa.

Me preguntó: "¿Access va como tú quieres?".

Le dije: "No, no crece lo suficientemente rápido".

Me preguntó: "Bueno, ¿cuánto dinero ganas?".

Le dije: "Alrededor de un millón y medio al año".

Preguntó: "¿Es suficiente para ti?".

Le dije: "Claro, es suficiente para cualquiera. Estoy cómodo".

Me preguntó: "¿Qué tendrías que hacer para que creciera como tú quieres?".

Dije: "¡Mucho más!" Lo subí a un mínimo de 10 millones de dólares al año y luego a 100 millones. En los dos años transcurridos desde entonces, Access ha pasado de cuarenta y siete a 183 países. ¿Qué te dice eso de cómo te apoya el universo?

La gente me dice que busca una vida más grandiosa, pero juzga lo que elige para conseguirlo. Yo pregunto: "¿Lo estás juzgando realmente? ¿O creas consciencia con cada elección que haces? Crees que lo estás juzgando, pero en realidad estás reconociendo: '¡Oh! Ahí no es donde quiero ir'" .

Si vas caminando por un campo y decidieras girar a la derecha y hubiera un agujero gigante, ¿te caerías en él? No. Dirías: "Espera un momento. Esto no funciona. ¿Qué opción tengo aquí que podría cambiar esto?". Siempre se trata de elegir.

Por favor, haz las preguntas de este capítulo y sigue haciéndolas para que empieces a ser consciente de lo que es verdad para ti. Te pido que te diviertas con el dinero. ¿Cómo sería divertirse con el dinero? Sería mucho más de lo que te diviertes ahora.

PRIMERA PREGUNTA: *¿En qué parte del universo puedo confiar? ¿Y en qué parte de mí no confío?*

SEGUNDA PREGUNTA: *¿Dónde soy consistente en mi vida que podría ser inconsistente y qué elección puedo tener que me permita ser inconsistente?*

PREGUNTA TRES: *¿Dónde confío solo en sobrevivir y en dónde evito todo lo que me permitiría prosperar?*

CUARTA PREGUNTA: *¿Dónde estoy creando mi vida como algo normal en vez de como una fuente de posibilidades?*

Capítulo cuatro
Sexo, dinero y recibir

La gente a menudo me dice que desea tener amistades, pero en vez de una amistad parece crear separación, lo que, a su vez, detiene su recibir. Voy a empezar este capítulo con una pregunta que te va a liar, pero antes quiero decir algo sobre la recepción y el sexo.

El sexo es el armónico inferior del recibir. Es una versión limitada de recibir, igual que los pensamientos, los sentimientos y las emociones son armónicos inferiores de saber, percibir y ser. Así que si evitas el sexo, o no te gusta el sexo, o no quieres tener sexo, o no quieres tener cierto tipo de sexo, o ves el sexo como algo malo en vez de algo que es una posibilidad, cortas las posibilidades de recibir tanto dinero como sexo.

El sexo es el punto de vista humano sobre el recibir. Si tienes sexo, recibes. Si no tienes sexo, no recibes. ¿Significa eso que necesitas tener sexo? No. ¿Significa que puedes tener sexo? Sí, si lo eliges. Tiene que ser una elección. Es lo mismo que tener dinero; tiene que ser una elección que hagas.

Por ejemplo, ¿evitas la idea del sexo con niños? ¿Hacer esa pregunta significa que quiero que salgas y tengas relaciones sexuales con niños? En absoluto. Pero si no ves que los niños son sexuales y no ves que los niños están dispuestos a tener sexo, tienes que cortar tu propia consciencia para que eso funcione, para que no puedas recibir dinero de los niños.

Tus hijos pueden ser una fuente de dinero. Si les pides que contribuyan a que ganes dinero, es increíble la energía que pueden aportar que crea dinero en tu vida. Tienes que estar dispuesto a tenerlo todo.

> ¿Qué has hecho tan vital de no tener nunca sexo que envenena el pozo del ser para no tener dinero? Todo lo que eso es, por un dioszillón, ¿Lo destruyes y descreas totalmente? Acertado y equivocado, bueno y malo, POD y POC, todas las 100, cortos, chicos, POVAD, creaciones, bases y más allás.

El sexo no tiene nada que ver con copular

Son cosas que tienen que ver con el sexo, pero nada con la cópula. ¿Qué quiere decir esto? El sexo es una energía en tu cuerpo, y tu cuerpo es el que necesita dinero. Prueba esto: Pídele a tu cuerpo, ahora mismo, que exponencialice el flujo sanguíneo en las zonas genitales de tu cuerpo. Y otra vez. Y otra vez. Y otra vez. ¿Notas algún cambio en tu cuerpo?

¿Notas algún dolor en tu cuerpo? El dolor puede aparecer cuando le pides a tu cuerpo que haga esto, debido a todo donde te has resistido a la energía sexual que te proporcionaría un mayor flujo sanguíneo.

> ¿Qué has hecho tan vital de no tener nunca sexo que envenena el pozo del ser para no tener dinero? Todo lo que eso es, por un dioszillón, ¿Lo destruyes y descreas totalmente? Acertado y equivocado, bueno y malo, POD y POC, todas las 100, cortos, chicos, POVAD, creaciones, bases y más allás.

Las gentes me hablan de su necesidad sexual, y yo les he preguntado: "Bueno, ¿por qué no pagas por tener sexo?".

Dicen: "¡Yo nunca haría eso!".

Yo digo: "Nunca pagarías por tener sexo. Eso significa que nunca pagarías por recibir. Tampoco pagarías por recibir dinero, ¿verdad? ¿Y si tuvieras que gastar dinero para ganar dinero?". ¿Entiendes la correlación?

Creas órdenes del día en tu vida en las que no consigues tener dinero. La orden del día es "sin dinero". La orden del día es "sin sexo". La orden del día es "sin recibir".

> ¿Qué parte de la necesidad sexual has eliminado para no recibir dinero y que el dinero quede fuera de tu vida? Todo lo que eso es, por un dioszillón, ¿Lo destruyes y descreas totalmente? Acertado y equivocado, bueno y malo, POD y POC, todas las 100, cortos, chicos, POVAD, creaciones, bases y más allás.

En una clase, una señora dijo: "A lo largo de los años, cuantas más cosas he limpiado utilizando las herramientas de Access, más me he despreocupado de si tengo dinero o no lo tengo, o de si tengo sexo o no lo tengo. Realmente no me importa. Sin embargo, lo deseo. Es una situación algo extraña".

Le dije: "No es una situación extraña. Es como debe ser. Tienes que dejar que venga como venga. Tienes que permitir que sea lo que es. Si realmente quisieras tener sexo, ¿podrías conseguirlo?".

Ella dijo: "Por supuesto. Cuando quiera".

Puedes tener el deseo de tener sexo y puedes tener el deseo de tener dinero, pero ¿qué elección tendrías que hacer para actualizarlo? El deseo siempre se refiere a una realidad futura. No es una necesidad de nada ahora.

Nunca desconecto mi energía sexual y también sé lo que crea, así que no elijo ir allí con alguien cuando sé que no va a funcionar bien. Me doy cuenta de que mi energía sexual es una contribución a mí en mi vida y estoy dispuesto a considerar y ver lo que creará la elección. Pregunto: "¿Qué elección puedo hacer que creará dinero de inmediato?".

SEGUNDA PREGUNTA: *¿Qué elección sexual podría hacer hoy que me hiciera ganar dinero de inmediato?*

____

____

____

____

____

Es acerca de recibir. No se trata de la cópula. Puedo tener energía sexual. Puedo apreciar la energía sexual. Puedo coquetear. Puedo ser romántico. Puedo hacer todas esas cosas, pero también soy consciente de lo que va a pasar si voy allí. Tienes que estar dispuesto a saber cuál será el resultado si lo eliges. No se trata de ser indiferente al sexo, a la copulación o al dinero; se trata de no tener necesidades. Cuando llegas al punto de vista de que nada es una necesidad, todo se convierte en elección.

Por ejemplo, puedes saber que si engañas a tu pareja va a ser un desastre. Pero sigues adelante y te acuestas con otra persona porque lo necesitas para sentirte bien contigo mismo. En realidad, no estás engañando a tu pareja, sino intentando volver a encontrarte a ti mismo. Esa es otra realidad. La mayoría de la gente, en vez de preguntarse: "¿Qué es lo que realmente quiero crear aquí?" va a "debo tener sexo". No debes tener sexo. Te gustaría tener sexo. Estás vivo; te gustaría tener sexo. ¿Significa eso que vas a tenerlo como debería ser, como tendría que ser? No necesariamente.

Tengo un amigo que vende productos por valor de 5000 dólares al día, como mínimo, después de tener relaciones sexuales. Así que cada vez que se siente mal con su negocio, le digo: "Ve a tener sexo". Recientemente se ha dado cuenta de que tan pronto como empieza a pensar en tener sexo, empieza a vender cosas también. Ahí es a donde tienes que llegar - al sentido de "¿cómo voy a crear dinero? ¿Qué energía necesito ser?".

> ¿Qué energía, espacio y consciencia puedes ser para tener más dinero que Dios por toda la eternidad? Todo lo que eso es, por un dioszillón, ¿Lo destruyes y descreas totalmente? Acertado y equivocado, bueno y malo, POD y POC, todas las 100, cortos, chicos, POVAD, creaciones, bases y más allás.

El factor motivador

¿Te sientes incómodo cuando piensas que no hay suficiente dinero? Debería sentirse incómodo. Asocias el pensamiento "nunca es suficiente" con la preocupación y la ansiedad. Pero "nunca es suficiente" no es preocupación ni ansiedad. "Nunca es suficiente" es la necesidad de la creación. La gente identifica y aplica erróneamente la preocupación y la ansiedad, no como creación, que es lo que es, sino como una especie de necesidad que debe dirigir su vida. Esa sensación de necesidad se convierte en su factor motivador.

> ¿Qué has identificado y aplicado erróneamente como factor motivador que no lo es y que, si no lo identificaras erróneamente como factor motivador, te permitiría crear más de lo que nunca has querido o podido crear? Todo lo que eso es por un dioszillón, ¿Lo destruyes y descreas totalmente? Acertado y equivocado, bueno y malo, POD y POC, todas las 100, cortos, chicos, POVAD, creaciones, bases y más allás.

> ¿Dónde has identificado y aplicado erróneamente la capacidad de elegir y crear algo mayor de lo que nunca has sido capaz de elegir o crear como ansiedad y preocupación? ¿Es esa la mentira que utilizas para engañarte y alejarte del dinero que podrías elegir? Todo lo que eso es, por un dioszillón, ¿Lo destruyes y descreas totalmente? Acertado y equivocado, bueno y malo, POD y POC, todas las 100, cortos, chicos, POVAD, creaciones, bases y más allás.

El sentimiento de carencia no es real. ¿Puede un ser infinito carecer de verdad? No. ¿Puede un ser infinito preocuparse de verdad? No. ¿Puede un ser infinito tener ansiedad? No. Entonces, ¿qué demonios te crees que eres? ¿Una figura de cartón de una realidad humanoide?

PREGUNTA TRES: *¿Dónde me he identificado como una figura de cartón con la que he jugado continuamente a las muñecas de papel a lo largo de toda mi vida?*

____

____

____

____

____

Te creas a ti mismo como un muñeco de papel al que le pegas ropa y luego sueltas en el mundo y dices: "Hasta luego". Si te conviertes en una figura de cartón, ¿te conviertes en un montón de mierda?

CUARTA PREGUNTA: *¿Dónde me he convertido en un montón de mierda impotente que me impide tener más dinero que Dios?*

____

____

____

____

____

¿Dios tiene dinero? ¿Necesita Dios dinero? ¿Consigue Dios siempre lo que quiere? ¿Y por qué tú no? Dios siempre sabe que conseguirás lo que quieras si decides ir a por ello.

¿Qué has identificado y aplicado erróneamente como factor motivador que no lo es, que si no lo identificaras erróneamente como factor motivador te permitiría crear más de lo que nunca has querido o has sido capaz de crear? Todo lo que eso es por un dioszillón, ¿Lo destruyes y descreas totalmente? Acertado y equivocado, bueno y malo, POD y POC, todas las 100, cortos, chicos, POVAD, creaciones, bases y más allás.

Ir a la pregunta

A veces la gente me dice: "Cuando empiezo a ofrecer un servicio o una clase, empiezo a tener expectativas y conclusiones sobre cuánta gente acudirá y cómo facilitaré el evento".

Siempre digo: "Tienes que llegar a la pregunta. En el momento en que llegues a la conclusión, habrás terminado todo, y no podrás conseguir el dinero".

Había un hombre que estaba haciendo Access. Tenía doce personas inscritas en una clase que iba a dar, y dijo: "¡Esto es genial! Podré pagar todas mis facturas y hacer bla, bla, bla".

Pensé: "Gran error", pero no me hizo ninguna pregunta, así que me callé. Cuando se presentó el día de la clase, solo había una persona. Se habían apuntado doce personas, pero solo vino una. El tipo me llamó y me preguntó: "¿Qué he hecho?".

Le dije: "Empezaste a gastar el dinero antes de recibirlo. Lo gastaste antes de que llegara".

Cuando traficas con drogas, sabes que nadie va a comprar tu producto hasta que aparezca con el dinero. Nunca cuentas con vender tu producto; esperas a que alguien te entregue el dinero. Cuando traficas con drogas, nunca entregas nada hasta que te dan el dinero.

Estás traficando con la droga de la consciencia. No tienes nada que vender ni nada que dar y nadie va a tomar lo que tienes hasta que aparezca con el dinero en la mano. Si haces lo contrario, estás gastando tu fortuna antes de ganarla.

> ¿Qué has hecho tan vital sobre gastar tu fortuna antes de ganarla que te asegura que nunca tendrás realmente una fortuna? Todo lo que eso es, por un dioszillón, ¿Lo destruyes y descreas totalmente? Acertado y equivocado, bueno y malo, POD y POC, todas las 100, cortos, chicos, POVAD, creaciones, bases y más allás.

QUINTA PREGUNTA: *¿Qué proyecciones, rechazos, expectativas, juicios y separaciones tengo que crean mi situación financiera y clientela actuales?*

____

____

____

____

____

SEXTA PREGUNTA: *¿Qué proyecciones, rechazos, expectativas, juicios y separaciones utilizo para evitar el dinero que podría elegir?*

___

___

___

___

Las proyecciones y expectativas son lo que crees que hará otra persona aunque no vaya a hacerlo. Una proyección sería "este hombre es perfecto para mí". Una expectativa sería "él tendrá el mismo punto de vista sobre mí que yo tengo sobre él. Pensará que soy perfecta para él".

Un juicio es cualquier punto de vista fijo o cualquier convicción de que alguien o algo tiene que ser de una determinada manera. La separación se produce cuando haces un juicio de cualquier tipo. Te separas de la persona o cosa que juzgas, aunque seas tú mismo. Rechazar es desestimar o desechar algo.

Siempre que hagas proyección y expectativa de cualquier tipo, te separas, juzgas y rechazas cualquier cosa que te daría consciencia. Eliminas tu consciencia.

Tus proyecciones y expectativas de lo que ocurre o de lo que debería ocurrir crean la limitación de lo que pasa ahora mismo. Las proyecciones, los rechazos, las expectativas, los juicios y las separaciones no te van a llevar a ninguna parte. Lo único que consiguen es que no tengas ingresos. Cuando tienes poco o ningún ingreso, tienes que hacerte esta pregunta:

SÉPTIMA PREGUNTA: *¿Qué elección estoy haciendo para tener el dinero que tengo actualmente y no más?*

___

___

___

___

¿Cómo puedes cambiar el mundo utilizando tu dinero?

Me gustaría crear 100 millones de dólares al año. ¿Por qué? ¿Porque quiero ser rico y famoso? No. ¿Porque soy rico y quiero ser más rico y más famoso? No. Es porque quiero ver qué puedo hacer para cambiar el mundo, y el dinero es una de las muchas cosas que puedes utilizar para cambiar el mundo.

No se trata de la cantidad que gastas para crear un cambio. Se trata de la cantidad de dinero que tienes y de cómo eso puede cambiar el mundo. He contado mil veces la historia de dejar seis dólares de propina por un bocadillo de seis dólares. Tienes que analizar una situación y preguntarte: "¿Qué es lo que realmente quiero crear aquí? ¿Qué es realmente posible?". En este caso, una propina de seis dólares cambió la vida de una mujer. ¿Cambió eso el mundo? Sí. Con cada propina que dejas, utilizas el dinero para cambiar la vida de la gente. Cambias el mundo. Puedes cambiar la vida de la gente con cinco dólares o cincuenta dólares o cien dólares. Puedes cambiar el mundo con lo que tengas disponible en el bolsillo.

> El dinero es una herramienta que puedes utilizar para crear una realidad diferente. ¿Lo utilizas así? Todo lo que no permite que eso aparezca, ¿Lo destruyes y descreas totalmente? Acertado y equivocado, bueno y malo, POD y POC, todas las 100, cortos, chicos, POVAD, creaciones, bases y más allás.

OCTAVA PREGUNTA: *¿Qué puedo hacer hoy con mi dinero que cambie el mundo de inmediato?*

____

____

____

____

NOVENA PREGUNTA: *¿Qué puedo ser o hacer hoy para que el dinero me resulte siempre más fácil?*

____

____

____

____

"¿Me das algo de dinero, por favor?"

Una señora me contó que dio una clase en su casa y, después de la clase, una niña de cinco años a la que le encanta visitarla le preguntó: "¿Me das una piruleta?".

La señora dijo: "No tengo piruletas en casa, pero tengo chocolate".

La niña dijo: "Quiero una piruleta. ¿Podemos ir a mirar en tu cesta?".

Así que subieron a mirar en la cesta y no había ninguna piruleta. Entonces, de repente, la niña dijo: "¡Mira! ¡He encontrado una!" y sacó una piruleta de la cesta -y luego una segunda- y dijo: "¿Ves? Tienes piruletas".

La señora, que jura que esas piruletas no habían estado allí antes, le dijo a la chica: "Me encanta cómo creas".

Los niños están dispuestos a serlo todo y a recibirlo todo. Están dispuestos a ser infinitud. ¿Y nosotros?

La niña dijo: "Quiero una piruleta". ¿Pides más dinero de esa manera? ¿Dices: "Quiero dinero"? O preguntas: "¿Qué voy a hacer para conseguir el dinero?".

Yo digo: "Vale, necesito más dinero. ¿Me puedes dar un poco más de dinero, por favor?". Es como los niños. Te miran y te preguntan: "¿Me das un poco más de esto, por favor?" y tú dices: "Claro".

Si fueras el universo y un niño pequeño te preguntara: "¿Me das más de esto?", le dirías: "Sí". Pero actúas como si el universo no respondiera como tú lo harías. ¿Qué pasaría si fueras totalmente limpio y pidieras: "¿Me das algo de dinero, por favor?". ¿Te respondería el universo exactamente como tú responderías a un niño pequeño?

Un amigo mío tenía unos pases para el acuario y llevó a su hijo. Al entrar, el niño preguntó: "¿Me das un juguete, papá?". El padre metió la mano en el bolsillo y se dio cuenta de que no había traído la cartera, ni tarjetas de crédito, ni dinero en efectivo. Solo tenía los pases. Dijo: "Tendremos que encontrar a alguien conocido a quien sacarle el dinero".

Entraron en un ascensor y el niño dijo: "Vamos a la tercera planta, papá", y pulsó el botón de la tercera planta. La puerta del tercer piso se abrió y había un billete de diez dólares en el suelo: el dinero para el juguete del niño. Ya está.

¿Te harías la vida así de fácil? No, tienes que hacerla difícil.

La gente me dice: "Haces que parezca tan fácil".

Yo digo: "Es fácil".

Y me contesta: "¡Pues a mí no me resulta fácil!". ¿Es ése también tu punto de vista? ¿Te das cuenta de que no deseas que sea fácil? Una vez pregunté en una clase: "¿Qué le pasaría a tu vida si fuera demasiado fácil?".

Una señora dijo: "¡Oh! Todo sería tan fácil. Sería encantador".

Le dije: "¡¿Sería encantador?! ¿Qué tal tener una vida escandalosa? Fíjate que no has dicho que sería emocionante o divertida. Encantador es una palabra que se usa para referirse a un vestido bonito. Eliges un vestido encantador; no eliges dinero encantador. Quieres una vida encantadora en vez de una vida fabulosa. Ni siquiera quieres un vestido fabuloso que deje a la gente boquiabierta cuando entras en la habitación. Tienes que superar este punto de vista de que quieres vivir una vida encantadora".

¿Te niegas a tener la vida escandalosa que realmente te gustaría tener?

> Todo lo que eso es, por un dioszillón, ¿Lo destruyes y descreas totalmente? Acertado y equivocado, bueno y malo, POD y POC, todas las 100, cortos, chicos, POVAD, creaciones, bases y más allás.

Tienes que ver cuál es tu punto de vista. ¿Cuál es tu punto de vista sobre el dinero que te impide tenerlo? Deshazte de la idea de que sería *bonito* o *encantador*.

El dinero viene con la especificidad de lo que quieres crear

¿Qué vas a tener que ser o hacer para conseguir lo que realmente deseas? Vas a tener que ser específico si quieres crear dinero. El dinero viene con la especificidad de lo que quieres crear. ¿Qué tal si te preguntas: "Qué voy a tener que ser o hacer para tener la vida fabulosa que realmente deseo"?

Personalmente, me encantan las cosas hermosas. He visto a mucha gente que tiene cosas hermosas en su casa, pero en la mayoría de esas casas no se puede usar nada de lo hermoso. No puedes sentarte en ninguno de los muebles. Hay pequeñas cuerdas en los sofás porque tienen calidad de museo. Ahora tengo una casa que tiene ese tipo de cosas. ¿La gente se sienta en mis sofás y sillas? Sí. Mi punto de vista es que si no lo usas, ¿para qué tenerlo?

Un participante en la *clase avanzada de Cómo convertirse en dinero* dijo: "Mi madre solía poner plástico en nuestros sofás".

Le dije: "Tienes que quitarle el plástico a tu vida. Ahora mismo tienes plástico sobre tu propia vida para que no se ensucie, para que tenga un aspecto precioso, no importa cuántas veces te sientes sobre ella, pero mientras tenga plástico, nunca podrás tocarla de verdad. ¿Y si tocaras tu vida?".

¿Colocas plástico en tu sofá? ¿Dónde plastificas tu realidad para no tener que tocarla?

DÉCIMA PREGUNTA: *¿Dónde estoy plastificando mi vida para no tener que tocarla ni involucrarme en ella?*

____

____

____

____

____

Las cosas tienen que desordenarse. Si vas a tener una vida escandalosa, si vas a vivir más allá de lo normal. Si realmente quieres tener dinero, tienes que estar dispuesto a vivir desordenadamente. Eso no significa que tengas un hogar desorganizado; significa que te toca fastidiar a todos los demás que no te sigan el juego.

Hay que estar dispuesto a fastidiar la vida de la gente, porque la gente quiere vidas plastificadas en las que nunca se les toque nada.

Tenía una empleada doméstica que iba muy lenta. Le dije: "No voy a pagar 20 dólares la hora para que alguien trabaje tan lento. Te reduzco el sueldo a 12 dólares la hora". Ahora está agradecida por el trabajo. Ella viene y hace todo más rápido. No sé cómo puede ser. Está encantada con su trabajo. Me da las gracias a diario por tenerla aquí. ¿Qué? ¿Por qué funciona así? Porque así es como funciona. La gente no puede tener más de lo que está dispuesta a tener.

UNDÉCIMA PREGUNTA: *¿Qué he decidido que no estoy dispuesto a tener que es mayor que lo que estoy dispuesto a tener?*

Una vez, cuando hablaba de tener una vida desordenada, alguien dijo: "Cuando me relaciono con la gente, siento que hago que se aleje de mí".

Le dije: "Sí, ¿no es divertido?".

Ella dijo: "Es horrible. Lo odio".

Le dije: "¡No, no lo odias! Si realmente lo odiaras, no lo harías". Cuando haces que todos se distancien, no pueden acercarse a ti. Se llama plastificar tu vida. Así puedes mantener tu mundo de plástico. No quieres llegar a la profundidad de la posibilidad de lo que podrías crear ahora, porque si lo hicieras, tendrías que superarte a ti mismo".

Por favor, responde de nuevo a las siguientes preguntas. ¡Y quita ese plástico de tus muebles y de tu vida!

PRIMERA PREGUNTA: *¿Dónde estoy evitando el sexo para evitar el dinero?*

____

____

____

____

____

SEGUNDA PREGUNTA: *¿Qué elección sexual podría hacer hoy que me hiciera ganar dinero de inmediato?*

____

____

____

____

PREGUNTA TRES: *¿Dónde me he identificado como una figura de cartón con la que he jugado continuamente a las muñecas de papel a lo largo de toda mi vida?*

____

____

____

____

CUARTA PREGUNTA: *¿Dónde me he convertido en un montón de mierda impotente que me impide tener más dinero que Dios?*

QUINTA PREGUNTA: *¿Qué proyecciones, rechazos, expectativas, juicios y separaciones tengo que están creando mi situación financiera y clientela actuales?*

SEXTA PREGUNTA: *¿Qué proyecciones, rechazos, expectativas, juicios y separaciones utilizo para evitar el dinero que podría elegir?*

SÉPTIMA PREGUNTA: *¿Qué elección estoy haciendo para tener el dinero que tengo actualmente y no más?*

OCTAVA PREGUNTA: *¿Qué puedo hacer hoy con mi dinero que cambie el mundo de inmediato?*

NOVENA PREGUNTA: *¿Qué puedo ser o hacer hoy para que el dinero me resulte siempre más fácil?*

DÉCIMA PREGUNTA*: ¿Dónde estoy plastificando mi vida para no tener que tocarla ni involucrarme en ella?*

UNDÉCIMA PREGUNTA: *¿Qué he decidido que no estoy dispuesto a tener que es mayor que lo que estoy dispuesto a tener?*

Capítulo cinco
¿Qué quieres hacer con tu vida?

Esto es lo que pasa con la creación de dinero: Eres un humanoide. En realidad no te importa el dinero, y sin un propósito para tenerlo, nunca lo tendrás. Sin embargo, si pudieras considerar lo que harías si tuvieras 100 millones de dólares, podrías empezar a crear 100 millones de dólares para hacer lo que te gustaría hacer. Necesitas tener un propósito para tener dinero.

¿Qué quieres hacer con tu vida? Esa es la razón para preguntarse: "Si tuviera 100 millones de dólares, ¿qué haría con ellos? ¿Qué crearía?".

Crear más allá de esta realidad

Tienes que llegar a la consciencia de: "En realidad no estoy creando mi vida". Entonces puedes preguntarte: "¿Es aquí donde realmente quiero vivir? ¿O quiero hacer algo diferente? Y si hiciera algo diferente, ¿qué haría?". Pero en realidad no se trata de lo que harías, sino de lo que serías. ¿Qué tendrías que ser para tener una realidad diferente a la que tienes actualmente?

> ¿Qué tendrías que ser para tener una realidad diferente a la que tienes actualmente? Todo lo que eso es, por un dioszillón, ¿Lo destruyes y descreas totalmente? Acertado y equivocado, bueno y malo, POD y POC, todas las 100, cortos, chicos, POVAD, creaciones, bases y más allás.

Hablaba con una señora que me decía: "Si tuviera 100 millones de dólares, no creo que quisiera crear nada. Solo querría experimentar este mundo y viajar y vivir aventuras, pero me resisto a intentar averiguar cómo conseguir el dinero para ello". Su punto de vista era: "No quiero tener que ganar dinero. Solo quiero poder ir a jugar".

Le dije: "Has aceptado todas las opciones de esta realidad y no has elegido por ti misma. Si quieres viajar y ver el mundo, así es esta realidad. ¿Qué crearías si pudieras crear todo lo que quisieras?".

Eso es ser la energía de crear más allá de esta realidad. ¡Hay tantas más elecciones! ¿Cuántas elecciones más podrías tener si realmente tuvieras tus elecciones? ¿Qué elección harías si eligieras por ti? Aquí es donde puedes preguntar: "¿Qué elección estoy haciendo para tener el dinero que tengo actualmente y no más?".

Hazte esta pregunta:

PRIMERA PREGUNTA: *¿Qué he hecho tan vital sobre elegir del menú de esta realidad que me impide tener mi realidad?*

____

____

____

____

____

Una señora que estaba a punto de volar a Estados Unidos para hacer el curso de *Caballo consciente, jinete consciente* me llamó y me dijo: "Dentro de cuatro horas viene un taxi para llevarme al aeropuerto. Realmente quiero hacer este viaje, pero todo en esta realidad me grita que no vaya. No es práctico. Piensa en tu familia, en tu familia política, en tu economía". Esto sigue un patrón. Hago cosas que son inconcebibles para otras personas. Veo cosas que podría ser o hacer de otra manera, pero hay una parte de mí que sigue creyendo en esta realidad".

Le pregunté: "¿A partir de qué intentas crear? ¿De la consciencia? ¿De la conclusión? ¿O de la razón que tiene otra persona con su punto de vista? ¿Qué parte de tu universo concebible pertenece a otras personas?".

Dijo: "Soy consciente de que tengo una elección diferente a la de los demás. Soy consciente de que estoy dispuesta a elegir cosas que son inconcebibles, pero esta realidad ocupa demasiado de mi tiempo en este momento".

¿Esto te describe? Tienes que preguntarte: "¿Qué es lo que quiero crear? ¿Qué es lo más importante para mí en toda mi vida que, si pudiera crearlo, me haría feliz?". ¿Eliges realmente lo que te hace feliz? ¿O intentas que los demás se sientan cómodos y felices?

¿Por qué te parece un problema que otras personas no tengan el punto de vista que tú tienes? Si nadie está de acuerdo contigo, ¿tienes que ver lo acertado de su punto de vista? ¿Por qué te importa el por qué eligen lo que eligen los demás? ¿Por qué te importa su punto de vista? ¿Porque se supone que debes ser así? Eso se llama "la cordura de otro debe ser mayor que la mía, porque yo sé que estoy loco". Crees que te van a poner una chaquetita blanca y te van a llevar. No llegues a una conclusión sobre lo que eliges. Haz una pregunta.

SEGUNDA PREGUNTA: *Si no hubiera ninguna conclusión sobre lo que elijo, ¿qué crearía?*

Sigues intentando ver si las elecciones que hiciste fueron malas o buenas. Pero si intentas ver si tus elecciones fueron malas o buenas, no puedes ver lo que crearon. Solo puedes ver los juicios que te hacen los demás.

Haces una elección y dices: "No ha sido mi mejor elección". Pero entonces, en vez de preguntarte: "¿Qué otra cosa puedo elegir?", empiezas a buscar por qué tenías razón o por qué estabas equivocado.

La fortaleza que eres

¿Y si nunca tuvieras razón? ¿Y si nunca te equivocaras? Solo te quedaría una cosa que podrías ser: totalmente fuerte. Si nunca tienes razón y nunca te equivocas, lo único que te queda es ser totalmente fuerte, porque la fortaleza viene de la consciencia de la diferencia que eres, no del juicio de las realidades de otras personas sobre qué elegir.

La mayoría de nosotros no reconocemos la fortaleza que tenemos y que somos. ¿Cómo es posible que te resulte aceptable no reconocer nunca la fortaleza que hay en ti?

TERCERA PREGUNTA: *¿Qué fortalezas no estoy reconociendo?*

____

____

____

____

____

La fortaleza es donde sabes que no te pueden doblegar. ¿Hay alguien que haya intentado doblegarte? ¿Lo ha conseguido? No. ¿Puede alguien doblarte, plegarte, graparte y mutilarte? Solo en la medida en que tú se lo permitas. No tienes que hacer que esa persona esté bien. No tienes que hacer que esa persona se equivoque. Solo tienes que ser fuerte.

¿Qué te hace más fuerte que los demás? No juzgar ni tener puntos de vista, especialmente sobre ti mismo. Cuando eres capaz de hacer eso, eres más fuerte que los demás.

CUARTA PREGUNTA: *Escribe cinco cosas que hayas decidido que eres, o cinco características que tengas. Luego considera cada una y pregúntate: ¿Esto está mal o es fuerte?*

____

____

____

____

____

Las características son una elección que has hecho y que luego has solidificado como si eso fuera todo lo que eres, como si no fueras también todo lo demás.

QUINTA PREGUNTA: *Ahora escribe cinco cosas que creas que están realmente mal en ti. Luego considera cada una de ellas y pregúntate: ¿Es algo que está mal o es algo fuerte que no he estado dispuesto a reconocer?*

Lo mejor de ti es lo que crees que está mal de ti. Por ejemplo, ¿crees que eres malo con el dinero? Tienes que ver cómo lo contrario también es cierto de ti. Si puedes ser una cara de la moneda, también puedes ser la otra. Puedes vivir en el filo de la moneda y puedes ir de un lado a otro cuando quieras. Tienes que estar dispuesto a ver lo fuerte y no fijarte en lo malo.

SEXTA PREGUNTA: *Fíjate en cada uno de los puntos que has anotado en respuesta a las preguntas cuarta y quinta.*

- *Pregunta: ¿Qué es lo contrario de esto? Escribe las respuestas.*

- *Pregunta: ¿Soy capaz de ser también lo contrario? Escribe tus respuestas.*

- *Luego pregunta: Si estoy dispuesto a ser esto y lo contrario, ¿qué tipo de fortaleza puedo tener y ser? Escribe tus respuestas.*

Reconocer la fortaleza

Hace poco descubrí que las personas que contraté para que nos gestionaran un montón de asuntos financieros y jurídicos consiguieron facturarme tres cuartos de millón de dólares en honorarios legales y gastos financieros en el último año. No estoy mal por no haberlo visto antes de que hicieran un desastre. Simplemente tomo esa consciencia, elijo algo que me funcione y lo hago.

No se trata de ver algo instantáneamente antes de que se convierta en un desastre. Se trata de reconocer la fuerza con la que un desastre demuestra que eres capaz de enfrentarte a él. ¿Con qué eres capaz de lidiar que otras personas no puedan? ¿Y si no es realmente un desastre? ¿Y si es algo que te da un sentido de ti mismo que no puedes conseguir de ninguna otra manera?

Era consciente de que esas personas podían darnos la información que necesitábamos, y la obtuvimos. Me cautivó lo que podían proporcionar, no lo que proporcionarían. La próxima vez me fijaré en lo que alguien puede y quiere proporcionar.

Para ser honesto, estoy agradecido de que haya sucedido. Ahora podemos seguir adelante de una forma que antes no podíamos. ¿Hubo algo malo? No, fue parte de cómo llegamos a la consciencia que queremos tener. Quiero consciencia total. No me importa lo que cueste conseguirla. No me importa lo que pierda para conseguirla. Tienes que llegar al punto en el que estés dispuesto a mirar desde ese punto de vista.

Hacerte "patético"

Alguien dijo: "A veces parece que ser patético tiene más valor que reconocer la fortaleza que soy".

Le dije: "Eso es porque has conseguido mucho siendo patético. Cuando das pena, la gente te regala cosas, te cuida y te hace recados. Por eso lo patético parece más valioso. Funciona. La pregunta es: "¿Qué quieres que ocurra?". No es un error ser patético. Es una gran herramienta. Es una forma de fastidiar a la gente".

Seré patético cuando necesite serlo. Soy muy bueno fingiendo que estoy pasando un momento terrible. Cuando estábamos inscribiendo gente para la clase de Caballo Consciente, Jinete Consciente, dije: "No sé cómo hacer esto en mi teléfono. No sé si mi teléfono hace esto. ¿Puedes hacer esto por mí, por favor?".

La persona con la que estaba hablando me dijo: "Tienes que dejar de fingir que te crees la mentira que nos cuentas sobre lo incompetente que eres con la tecnología. Te hemos visto hacer demasiadas cosas que no son incompetentes".

Dije: "Vaya, me han descubierto".

En vez de reconocer la fortaleza, siempre buscando la debilidad y mientras que la consideras equivocada. No te preguntas: "Con esta debilidad, ¿cómo soy fuerte? Si mi comportamiento es patético, ¿cómo es eso una fortaleza para mí? ¿Qué estoy creando con ese punto de vista?".

¿No ves lo brillante que eres? Puedes hacerte patético exactamente en el momento adecuado y conseguir que los demás hagan exactamente lo que tú quieres que hagan.

Es solo una elección. Elige lo que funcione para estos diez segundos. No importa lo que elijas. No importa.

¿En quién vas a confiar?

La señora que estaba a punto de subirse a un avión para la clase *Caballo consciente, jinete consciente* dijo: "No hay ninguna buena razón para que me suba a un avión y vaya a Estados Unidos en cuatro horas; sin embargo, mi consciencia es que no puedo permitirme no ir al aeropuerto en cuatro horas".

Le pregunté: "¿En quién vas a confiar?".

Ella dijo: "¡En mí!"

Puedes comprometerte plenamente cuando quieras. La cuestión es: ¿Te comprometes plenamente contigo?

¿Dices: "Me siento seguro al dar este siguiente paso. Quizá me caiga por el precipicio, pero siempre sé que tengo un salvavidas"? ¿Sabes que tienes un salvavidas, sea cual sea, aunque sea tu propia fortaleza? ¿O dices: "¡Dios mío! ¡No tengo nada! ¿Para qué hago esto?".

SÉPTIMA PREGUNTA: *Si no tuviera salvavidas, ¿qué sería yo?*

Crear el futuro de diez en diez segundos

La señora que estaba a punto de coger el avión sabía que yendo a la clase de *Caballo consciente, jinete consciente*, su vida iba a mejorar aunque no tenía ni idea de cómo iba a funcionar.

La mayoría de ustedes tienen el punto de vista: "Bueno, si se trata de ganar dinero en el futuro, puedo hacerlo, pero si no es por dinero futuro, no puedo".

Yo no hago eso. Me pregunto: "Si elijo esto, ¿cómo va a ser mi futuro? Si no lo elijo, ¿cómo va a ser mi futuro?".

Incluso con la gente que nos costó tres cuartos de millón de dólares, yo sabía que estábamos creando un futuro. Entonces llegó un momento en el que dije: "Vale, esto no es crear el futuro. No va en la dirección que el futuro que nos gustaría tener puede actualizar. Algo tiene que cambiar. Algo tiene que ser diferente aquí".

Cuando fuimos conscientes de que algo tenía que cambiar, hicimos lo necesario para cambiarlo. Tienes que ser consciente de cuándo es el momento de cambiar. Tienes que ser consciente de cuándo es el momento de hacer algo. No funciones desde la idea de que algo es acertado o equivocado o bueno o malo. Es simplemente lo que es.

En el momento en que entras en lo acertado o lo equivocado, matas el futuro. En el momento en que entras en el error y la dificultad, matas el futuro. Tienes que mirar algo y preguntarte: "Vale, ¿a dónde voy desde aquí? ¿A dónde voy desde aquí que mantiene un futuro más grande de lo que incluso sé que es posible?".

Simplemente estás donde estás y tienes que ir a otro sitio. No se trata de "tengo que hacerlo bien" o "tengo que asegurarme de no volver a cometer este error", ni nada por el estilo. Es "Sé a dónde tengo que ir y estoy dispuesto a ir allí".

Tienes que preguntarte: "Si no creara lo equivocado, lo malo y el juicio, ¿con qué rapidez se actualizaría en mi futuro lo que deseo?". Esa es la siguiente pregunta de tu lista, porque tienes que dejar de ir a lo acertado y a lo equivocado.

OCTAVA PREGUNTA: *Si no creara lo equivocado, lo malo y el juicio, ¿con qué rapidez se actualizaría en mi futuro lo que deseo?*

____

____

____

____

____

Empiezas en una dirección y, si no sale como crees que debería salir, te pones a juzgarla, lo que destruye el futuro que creaste.

Un buen amigo mío dice: "Nunca se parece a lo que crees que se va a parecer". Si va a ser diferente de lo que pensamos que va a ser, ¿qué va a ser?

Esto toca todos esos lugares en los que pensabas que tenías que crear algo o hacer algo y empiezas a preguntarte: "Dios mío. ¿Qué hice mal?"

Lo que hiciste mal fue decidir que habías hecho algo mal, y el futuro terminó en ese momento. Pasamos más tiempo de nuestras vidas acabando con nuestro futuro que creando posibilidades para él.

Sortear el objeto infranqueable

Pones montañas en el camino del futuro que intentas crear. Para deshacerte de las montañas, tienes que modificar tu forma de hacer las cosas.

Si las montañas están ahí, son tu creación. ¿Y si pudieras destruirlas tan fácilmente como fueron creadas? La dificultad es que la mayoría de nosotros no queremos ver eso, porque si lo viéramos, tendríamos que creer en alguien en quien no creemos: en nosotros mismos.

Uno ve un objeto infranqueable y cree que el objeto infranqueable es real. Lo veo y me pregunto: "¿Cómo puedo sortearlo?".

El objeto infranqueable es lo que hay que sortear, no lo que hay que superar. ¿Y si no hubiera nada que superar, sino sortear todo? Pero no crees que eres así de bueno, ¿verdad? Yo creo que eres así de bueno, pero tú no. Tienes la capacidad de elegir aquello que no pueden elegir otros, pero sigues actuando como si eso estuviera mal, o como si, de alguna manera, estuvieras equivocado, o como si tuviera que ocurrir otra cosa.

Yo considero dónde estoy. Estoy en el presente. Me pregunto: "¿Adónde tengo que ir? ¿Qué tengo que hacer hoy? ¿De qué tengo que ocuparme?".

Hacer que los demás sean más importantes que tú

¿Te has dado cuenta de que muy pocas personas en tu vida se interesan realmente por ti? La mayoría solo quiere hablar de sí misma. ¿Por qué? Porque son estúpidas. Las personas estúpidas siempre hablan de sí mismas; no les interesas en absoluto. Una persona inteligente se interesa por todo el mundo, lo que, por cierto, significa que la mayoría de la gente no es inteligente. Cuando la gente no se interesa por ti, es porque no es inteligente.

Te niegas a ver esto. Concluyes que si alguien no se interesa en ti, significa que es mejor o más importante que tú. Importante significa superior a ti. Algunas personas me han dicho que consideran a los demás mejores o más importantes por su carrera, por su dinero, porque parecen bondadosos u hospitalarios, o por cualquier otra cosa. ¿Por qué intentas hacer a alguien mejor o más importante que tú?

Si haces que la gente sea más importante que tú, crearán en tu contra. Por ejemplo, hice que nuestro asesor fuera más importante que yo porque pensaba que sabía cosas que yo no sabía. ¿Sabía cosas que yo no sabía? No. Tenía información que yo no tenía. Eso es diferente. Eso no significa que supiera más que yo o que fuera más importante que yo. Me fijaba en la información que podían darme y la consideraba tan importante que tenía que aguantar lo que hacía. Estaba dispuesto a no ver lo que hacía porque yo le había dado tanta importancia. Todos lo hemos hecho. Nada de eso nos hace estar equivocados. Solo nos hace un poco miopes.

Hacer valioso a alguien no es lo mismo que hacerlo importante. Alguien valioso es alguien que te va a dar algo. Yo tengo personas que trabajan para mí. ¿Son capaces de hacer lo que yo hago? No. ¿Es eso importante? No. No importa si la gente es capaz de hacer lo que yo hago. Lo que importa es que haga lo que necesito que haga para que mi vida funcione. Si alguien hace eso -si está dispuesto a hacer lo que necesito que haga para que mi vida funcione- esa persona es valiosa en mi vida.

Considero muy valiosa a la asistenta que limpia mi casa y me cambia las sábanas. Es una contribución a mi vida. ¿Por qué? Porque cuando entro en mi habitación y veo que mi cama está hecha y parece de un millón de dólares, ¿eso es útil? Por supuesto. Las personas que has decidido que no son valiosas no pueden crear contigo. Solo pueden crear en tu contra.

NOVENA PREGUNTA: *¿A quién no estoy haciendo valioso en mi vida que si lo hiciera valioso crearía más en mi vida?*

PREGUNTAS DEL LIBRO DE EJERCICIOS
CAPÍTULO CINCO

PRIMERA PREGUNTA: *¿Qué he hecho tan vital sobre elegir del menú de esta realidad que me impide tener mi realidad?*

SEGUNDA PREGUNTA: *Si no hubiera ninguna conclusión sobre lo que elijo, ¿qué crearía?*

TERCERA PREGUNTA: *¿Qué fortalezas no estoy reconociendo?*

CUARTA PREGUNTA: *Escribe cinco cosas que hayas decidido que eres, o cinco características que tengas. Luego considera cada cosa y pregúntate: ¿Esto está mal o es fuerte?*

QUINTA PREGUNTA: *Ahora escribe cinco cosas que creas que están realmente mal en ti. Luego considera cada una de ellas y pregúntate: ¿Es algo que está mal o es algo fuerte que no he estado dispuesto a reconocer?*

SEXTA PREGUNTA: *Fíjate en cada uno de los puntos que has anotado en respuesta a la cuarta y quinta pregunta.*

- *Pregunta: ¿Qué es lo contrario de esto? Escribe las respuestas.*

- *Pregunta: ¿Soy capaz de ser también lo contrario? Escribe tus respuestas.*

- *Luego pregunta: Si estoy dispuesto a ser esto y lo contrario, ¿qué tipo de fortaleza puedo tener y ser? Escribe tus respuestas.*

SÉPTIMA PREGUNTA: *Si no tuviera salvavidas, ¿qué sería yo?*

OCTAVA PREGUNTA: *Si no creara lo equivocado, lo malo y el juicio, ¿con qué rapidez se actualizaría en mi futuro lo que deseo?*

NOVENA PREGUNTA: *¿A quién no estoy haciendo valioso en mi vida que si lo hiciera valioso crearía más en mi vida?*

Capítulo seis
Riqueza y fortuna

Sé de una señora cuyo bisabuelo llegó a Estados Unidos desde Irlanda a finales del siglo XIX. Fue a Texas y preguntó: "¿Cómo puedo conseguir tierras?".

Dijo: "Puedo hacer sillas de montar. Ahí tengo una habilidad", así que hizo sillas de montar y las cambió por parcelas de tierra, que eran muy baratas en ese momento. Había mucha tierra. Era Texas; era grande, y terminó con más de 80000 acres.

Crear una fortuna tiene que ver con la capacidad de ver lo que es posible y luego decir: "Vale, lo haré". Este señor aplicó su capacidad para crear una fortuna. Estaba dispuesto a ser una fortuna.

Ser una fortuna es reconocer que cualquier cosa que aparezca en tu vida puede utilizarse para crear algo mayor, así que fabricó sillas de montar y las cambió por tierras. De ahí cambió sillas de montar por ganado. A partir de ahí compró más ganado y siguió creando una fortuna. Creó un espacio para una posibilidad que otros no podían ver.

Muchos irlandeses vinieron a Estados Unidos en aquella época en busca de fama y fortuna, y muchos de ellos la encontraron. Si no buscas tu fama y tu fortuna, no puedes encontrar tu fama y tu fortuna.

¿Estás dispuesto a ser una persona que tiene una fortuna? ¿O solo estás dispuesto a ser una persona que tiene que trabajar duro por su dinero?

> ¿Qué has hecho tan vital de trabajar duro por tu dinero que te mantiene siendo desafortunado en vez de tener una fortuna? Todo lo que eso es, por un dioszillón, ¿Lo destruyes y descreas totalmente? Acertado y equivocado, bueno y malo, POD y POC, todas las 100, cortos, chicos, POVAD, creaciones, bases y más allás.

Hoy en día tenemos la opinión de que las personas afortunadas solo tienen suerte. Pensamos que algún golpe maestro de la suerte se encargó de ellas, pero en realidad, la mayoría de las personas que están dispuestas a tener una fortuna serán y harán algo más grande de lo que están dispuestas a ser y hacer los demás.

¿Qué podrías hacer si tuvieras una fortuna?

¿Deseas tener una fortuna? Y si tuvieras una fortuna, ¿qué harías con ella? Ahora mismo, aquí en Texas la lotería vale 450 millones de dólares. Yo dije: "¡Cuatrocientos cincuenta millones de dólares! ¿Qué podría hacer con eso?".

La mayoría de la gente tiene el punto de vista de que ganar la lotería significaría: "No tendría que trabajar, no tendría que hacer esto, no tendría que hacer aquello". Solo consideran en lo que no tendrían que hacer; no miran lo que podrían hacer si tuvieran una fortuna.

> Si tuvieras una fortuna, ¿qué podrías hacer que no hagas ahora? Todo lo que eso es, por un dioszillón, ¿lo destruyes y descreas totalmente? Acertado y equivocado, bueno y malo, POD y POC, todas las 100, cortos, chicos, POVAD, creaciones, bases y más allás.

La gente que crea fortunas mira desde el punto de vista de: "¿Qué puedo crear con eso?". No hay limitación en lo que está dispuesta a ser. Cuando tienes una fortuna, tienes que estar dispuesto a ser lo que se requiera para crear una fortuna, como el fabricante de sillas de montar que iba a ser el mejor fabricante de sillas de montar que podía ser. Me gustaría encontrar una de sus sillas de montar. Sería divertido sentir la energía de este tipo.

Nunca esperes, crea siempre

Tuve una conversación con una mujer que ha estado "esperando" a que llegara su fortuna. Me dijo: "Llevo dos años trabajando en un proyecto con el gobierno que me creará una fortuna. Hace cuatro meses se firmaron los papeles; sin embargo, no recibiré ningún dinero hasta que se haga un anuncio formal, y el anuncio no llega".

Le dije: "Tienes que llamarles y decirles: 'Les agradezco por haber hecho esto, pero no me han pagado y no han hecho el anuncio. Voy a dedicarme a otras cosas, pero el contrato sigue vigente y se tiene que cumplir'".

Me dijo: "Bueno, he llamado a algunas personas y solo me dicen: 'Tienes que esperar este anuncio'. Este anuncio equivale a una fortuna para mí".

Le pregunté: "¿Por qué pones tu vida en espera en vez de salir a crear? Nunca esperes, crea siempre. Nunca espero a que nada ni nadie de frutos. Salgo y creo y las cosas fructifican. Empieza tu próximo proyecto si es necesario. ¿Qué más puedes encontrar para crear dinero? ¿Esperar a que alguien haga un anuncio?

Vamos, puede que lo hagan, pero si te quedas ahí sentada y esperas dos años, te morirás de hambre antes de ganar dinero".

Ella no lo entendía. Ella seguía diciendo: "Pero esto equivale a una fortuna para mí…".

Le dije: "Estás diciendo: 'Este proyecto es la fuente de mi fortuna'. No. Este proyecto no es la fuente de tu fortuna. Tú eres la fuente de tu fortuna".

Nunca esperes. Sigue creando siempre. No puedes depositar toda tu confianza en una sola cosa para conseguir una fortuna. La fortuna nunca viene de una sola fuente. Viene del universo y de tu voluntad de crearla. No pongas todos los huevos en la misma canasta. No supongas que la fortuna solo puede venir de un sitio. La fortuna viene de lo que tú personalmente eres capaz de crear. Si eres capaz de crear una fuente de fortuna, ¿cuántas otras fuentes de fortuna estás evitando?

> ¿Cuántas fuentes de fortuna estás evitando para crear la limitada realidad financiera que tienes actualmente? Todo lo que eso es, por un dioszillón, ¿Lo destruyes y descreas totalmente? Acertado y equivocado, bueno y malo, POD y POC, todas las 100, cortos, chicos, POVAD, creaciones, bases y más allás.

Tú, como humanoide, tienes la capacidad de ver la fortuna. Tienes la capacidad de oírla llamando suavemente a la puerta, pero te has hecho el sordo.

> Todo lo que has hecho para ensordecerte al suave llamado de la fortuna, ¿lo destruyes y descreas totalmente? Acertado y equivocado, bueno y malo, POD y POC, todas las 100, cortos, chicos, POVAD, creaciones, bases y más allás.

Elegir el desafío en vez de lo más fácil

He hablado muchas veces de las antigüedades que vienen a mí. Tengo oportunidades de comprar antigüedades y las miro y digo: "Sí", "No", "Sí". Es una oportunidad para mí de ganar algo de dinero.

Cuando hablo con la gente sobre esto, me dicen: "Sí, pero…". ¿Por qué hay un pero en tu sí? Si no estás dispuesto a tener todas las puertas abiertas y elegir todas las posibilidades disponibles, vas a crear un sitio donde no puedes tener nada en vez de un lugar donde puedes tenerlo todo.

Todo lo que eso es, por un dioszillón, ¿Lo destruyes y descreas totalmente? Acertado y equivocado, bueno y malo, POD y POC, todas las 100, cortos, chicos, POVAD, creaciones, bases y más allás.

Hablaba con alguien que me decía: "Hubo un momento en mi vida en que las cosas me salían con bastante facilidad, y elegí el desafío. Elegí un trabajo desafiante y un marido desafiante del que ya me he divorciado. Era desafío, desafío, desafío. Me resulta fácil ver lo equivocado de esas elecciones. ¿Qué puedo hacer para aprovechar la capacidad de crear desafíos para crear riqueza?".

Le dije: "Es evidente que prefieres un desafío a una fortuna. ¿Qué es más fácil de conseguir? ¿Un desafío o una fortuna?".

Crees que un desafío es lo que te hace trabajar más duro. Pero eso es trabajar duro por tu dinero. No es tener una fortuna. Lo más fácil para el talabartero era hacer sillas de montar. Eso era pan comido para él.

¿Qué has hecho tan valioso de trabajar duro por tu dinero que te mantiene desafortunado en vez de siendo alguien que tiene una fortuna? Todo lo que eso es, por un dioszillón, ¿Lo destruyes y descreas totalmente? Acertado y equivocado, bueno y malo, POD y POC, todas las 100, cortos, chicos, POVAD, creaciones, bases y más allás.

¿Qué energía, espacio y consciencia puedes ser que te permita elegir la forma más fácil de crear una fortuna para toda la eternidad? Acertado y equivocado, bueno y malo, POD y POC, todas las 100, cortos, chicos, POVAD, creaciones, bases y más allás.

Cuando eras niño ¿era fácil conseguir lo que pensabas que era una fortuna? Si tienes cien pesos cuando eres niño, crees que tienes una fortuna - y para un niño, cien pesos es una fortuna.

¿Qué haces que te resulta pan comido y no utilizas para hacer fortuna? Todo lo que eso es, por un dioszillón, ¿Lo destruyes y descreas totalmente? Acertado y equivocado, bueno y malo, POD y POC, todas las 100, cortos, chicos, POVAD, creaciones, bases y más allás.

Una amiga me dijo: "Me encanta hacer galletas, y hago buenas galletas. Pero como he trabajado como profesional de la salud mental y la depresión durante veinte años, juzgo que hacer galletas es menos que trabajar en salud mental".

Le dije: "Dios sabe que una galleta nunca cambia el universo de nadie, ¿o sí?". Hace años, cuando trabajaba en el sector inmobiliario en Santa Bárbara, sabía de una señora encantadora. Se llamaba Debbie. Preparaba todo tipo de galletas y dulces para sus jornadas de puertas abiertas. Sus postres eran tan buenos que otros agentes inmobiliarios le preguntaban: "¿Me haces unas galletas para mi jornada de puertas abiertas? Te pagaré encantado". A los seis meses había dejado la inmobiliaria y había creado su propio negocio, Debbie's Delights. Hoy es una panadería mayorista con unos ingresos anuales de más de 50 millones de dólares. El juicio de que hacer galletas es menos que otra cosa es una forma de evitar ganar una fortuna.

Le pregunté a la señora que quería hacer galletas: "¿No estás dispuesta a comer el dulce manjar de la vida?".

Dijo: "Me sentiría culpable de que las cosas fueran tan fáciles".

Le dije: "¡Te sugiero que renuncies a ese umbral de pobreza para demostrar lo brillante que eres para sobrevivir a la pobreza! A que no te atreves".

> A que no te atreves a vivir con una fortuna, a superar el desafío de tener una fortuna. Todo lo que eso suscitó por un dioszillón, ¿ lo destruyes y descreas totalmente? Acertado y equivocado, bueno y malo, POD y POC, todas las 100, cortos, chicos, POVAD, creaciones, bases y más allás.

La fortuna te encuentra - si estás dispuesto a tenerla

Alguien me preguntó: "¿Cuál es la diferencia entre encontrar una fortuna y crear una fortuna?".

Le dije: "La fortuna no se encuentra. Se crea. La fortuna te encuentra a ti, si estás dispuesto a tenerla. Yo estoy dispuesto a tener una fortuna, pero algunas personas creen que necesitan una excusa para tenerla. Si estás dispuesto a tener una fortuna, las cosas empiezan a encontrarte. Un ejemplo de ello son todas las antigüedades que he comprado por poco o nada de dinero y que han resultado tener un valor enorme. Sé de un tipo al que le vienen los bienes inmuebles como me vienen a mí las antigüedades. Tienes la consciencia y la información sobre las antigüedades o los bienes inmuebles o lo que sea, y esas cosas te encuentran.

Aprendo sobre antigüedades y les pregunto: "¿Vales más de lo que estoy pagando por ti?". Cuando empecé, no tenía ninguna información sobre ellas. Solo veía que algo era bonito. Tienes que mirar las cosas desde una dirección distinta a la de los demás. Hace poco vi una colección de objetos chinos a la venta en Santa Bárbara. Eran cosas muy bonitas. Me encantaron. Le pregunté: "¿Vales más de lo que estoy pagando por ti?". Me respondió: "Sí", así que la compré. Resultó que una pieza valía lo que pagué por todo el conjunto. ¿Sabía de antemano? No. ¿Lo descubrí? Sí. Estoy dispuesto a acudir a personas que saben más que yo y averiguar lo que saben.

También he trabajado en el sector inmobiliario, así que también sé un poco de eso. He visto todas las formas en que la gente puede hacer dinero en bienes raíces. He hecho dinero de bienes raíces para otros. He hecho una fortuna para otras personas, pero no he hecho una fortuna para mí. ¿Por qué? En ese momento no estaba dispuesto a ser el tipo que tiene una fortuna. Tienes que estar dispuesto a pedir la fortuna, tienes que estar dispuesto a tener la fortuna, y tienes que estar dispuesto a engañarte a ti mismo para tenerla justificando todas las razones por las que la necesitas.

Tener una fortuna es lo que todos dicen querer y también lo que vilipendian. Es algo que desean; es algo de lo que carecen, pero no están dispuestos a hacer lo que haga falta para conseguirlo. Si tienes que hacer cien sillas de montar para conseguirlo, ¿lo harás?

PRIMERA PREGUNTA: *¿Cómo puedo engañarme a mí mismo para hacer hoy algo que me haga ganar una fortuna de inmediato?*

Estimular la ventaja competitiva de tu realidad

Una señora me preguntó acerca de su pareja. Ella dijo que él estaba creando una fortuna pero no estaba dispuesto a reconocerlo y a saber su valor.

Le planteé la pregunta: "¿Qué puedo hacer para estimular su ventaja competitiva cada día?".

Ella dijo: "Creo que lo he estado haciendo sin hacer esa pregunta, y en cierto modo no es bondadoso con él. Simplemente le agita".

Dije: "Hay que agitar a algunas personas para que creen más, y hay que estar dispuesto a hacerlo".

SEGUNDA PREGUNTA: *¿Qué puedo hacer hoy para estimular de inmediato la ventaja competitiva de mi propia realidad?*

____

____

____

____

No estimulas tu negocio; te estimulas a ti. Eres el único al que puedes vencer. No puedo vencer a nadie más; solo puedo vencerme a mí mismo, porque soy el único que tiene todas las herramientas que yo tengo. Soy el único que tiene todo lo que tengo. Soy el único que sabe dónde no estoy siendo totalmente confiado.

¿Siempre te conformas con menos de lo que los demás perciben como riqueza, fortuna o dinero? Eso es porque odias la competencia. No te permites tener lo mejor porque intentas evitar la competencia. Aquello que odias es lo que crearás. Cuando odias la competencia, la crearás, y eso será el asesino que te impide recibir la abundancia de lo que puedes tener.

Tendré lo mejor y exigiré que la gente mejore con lo que elija. Me encanta cuando la gente viene a mi casa y me dice: "Me has inspirado para crear más en mi vida".

Cuando eliges lo mejor, cuando eliges estar por encima de los demás, cuando eliges tener todo lo que deseas en la vida, inspiras a los demás a creer que pueden tener lo que tú tienes. Pero tienes que darte cuenta de que querrán competir contigo y tener lo que tú tienes.

TERCERA PREGUNTA: *Si tuviera total confianza en mí mismo y fuera capaz de crear una fortuna, ¿qué elegiría hoy?*

____

____

____

____

Recibir los resultados de la creación

Elegimos cosas como la lucha en vez de la confianza. ¿Qué es la confianza? Es "Sí, puedo hacerlo". Eliges luchar una y otra vez porque tienes la idea de que no tienes confianza. Si tuvieras confianza, no tendrías lucha, a menos, claro, que te guste la lucha. ¿Qué te gusta más, la confianza o la lucha?

Un día, cuando estaba luchando como agente inmobiliario y haciendo fortunas para otras personas en vez de para mí mismo, analicé con diligencia mi situación. Fui franco conmigo mismo . Tienes que ser franco contigo mismo. Me dije: "Esto es una locura. Acabo de ganar 400.000 dólares para un cliente haciendo este negocio para él, y he ganado 10.000 dólares para mí. ¿Por qué? Porque él tiene el dinero para hacer el trato, puede ganar 400.000 dólares y porque yo tengo la habilidad, gano 10.000 dólares. Es una locura. ¿Cómo puedo cambiar esto? ¿Qué puedo ser y hacer diferente para que esto cambie y sea yo quien gane 400.000 dólares?".

La honestidad es saber lo que funciona. Es ver lo que es, no lo que quieres que sea. La mayoría de ustedes no están dispuestos a mirar su situación con franqueza. Dices: "Bueno, no puedo hacer eso porque no tengo confianza", o alguna otra cosa por el estilo.

Mira tu vida. Te garantizo que hay algún lugar donde hiciste ganar mucho dinero a otra persona por lo que sabes, lo que hiciste o por tu forma de ser. ¿Significa eso que ellos son la fuente? ¿O eres tú la fuente?

Tienes que estar dispuesto a ser la fuente. Tienes que estar dispuesto a ser la fuente de la creación, y tienes que estar dispuesto a ser el receptor de los resultados de la creación. ¿Estás dispuesto a recibir la fortuna que conlleva ser la fuente?

> Dondequiera que has decidido que no puedes ser el receptor de los resultados de la creación, ¿lo destruyes y descreas totalmente? Acertado y equivocado, bueno y malo, POD y POC, todas las 100, cortos, chicos, POVAD, creaciones, bases y más allás.

> La mayoría de las personas no están dispuestas a ser la fuente y a recibir los resultados de lo que crean, sino que competirán consigo mismas o con otro para crear algo. Eso sí lo recibirán.

Otras personas se niegan a competir. Pierden el interés cuando tienen que competir. Un tipo me preguntó: "¿Por qué iba a estimularme para una competición?".

Le dije: "Porque aquello que odias es lo que creas. Es un lugar donde no puedes recibir, no puedes ser y no puedes lograr".

Esto también forma parte de ser franco. Si piensas: "Odio eso", y eres honesto, reconocerás: "Odio esto". Te preguntarás: "¿Cómo va a beneficiarme esto?".

Lo que odias también es fuente de creación

Cuando era niño, en los años cincuenta, mi madre tenía vasos de aluminio de colores para beber. A ella le parecían geniales porque no se rompían. A mí me parecían feos. Los odiaba.

Últimamente he visto que esos vasos se venden hasta por diez dólares cada uno y me he preguntado: "¿Por qué pagaría alguien diez dólares por esas cosas tan feas?". Pero si estoy en una venta de garaje y veo seis por veinticinco centavos cada uno, compraré los seis y se los venderé a otra persona por un dólar cada uno. Ganaré dinero con ellos. Pueden hacerme ganar dinero porque algunas personas piensan que son bonitos o geniales o retro. Lo que odias también es una fuente de creación.

Crear con alguien

A veces la gente nos pregunta cómo trabajamos juntos Dain y yo y cómo hemos sido capaces de crear que Access sea mucho más grandioso. Juntos creamos más de lo que podríamos hacer por separado.

Si vas a crear con alguien, elige hacerlo desde el punto de vista de a) ¿Cómo puedo sobrecrearlo? y b) ¿Somos más juntos que separados? Tienes que estar dispuesto a sobrecrear a esa persona, y ella también tiene que estar dispuesta a sobrecrearte a ti, que es su ventaja competitiva, de modo que los dos estén saltándose mutuamente todo el tiempo.

El 99% de las personas del mundo no desean crear con otras personas. Puedes pensar que alguien quiere crear contigo y suponer que está creando contigo. Pero ¿lo están haciendo? No te preguntas: "¿Qué quiere crear realmente esta persona?" y "¿es lo mismo que yo quiero crear?". Tienes que fijarte en lo que la gente está realmente dispuesta a crear. No intentes crear a partir de lo que crees que quiere. Tienes que fijarte en lo que realmente quiere y crear a partir de ahí.

No supongas que alguien quiere crear a partir del reino de nosotros[3] porque eso es lo que dice que quiere. Nunca creo nada de lo que dice la gente. Cuestiono todo lo que la gente dice, porque el noventa y nueve por ciento de las personas se mienten a sí mismas todos

____

[3] Cuando eliges en el reino de nosotros, no se trata de elegir para ti y contra la otra persona. Tampoco eliges para ti y excluir a la otra persona. Eliges para ti y para todos los demás; eliges lo que ampliará todas las posibilidades, incluidas las tuyas. Cuando haces esto, la gente que te rodea se da cuenta de que su elección se expandirá gracias a la tuya, y contribuirá a tu elección, no se resistirá a ella.

los días, y mienten a todos los demás el ochenta y ocho por ciento del tiempo todo el día, todos los días. Hay un doce por ciento de posibilidades de que la verdad salga de la boca de alguien. Si alguien está hablando, lo más probable es que esté mintiendo.

La única forma de saber si alguien miente o dice la verdad es ver lo que produce. Lo que hacen determina la diferencia entre lo que dicen y lo que crean. Presta siempre atención a lo que alguien hace, nunca a lo que dice.

A todos nos vendría bien un poco de sinceridad porque hay cosas que no estamos viendo.

CUARTA PREGUNTA: *¿Dónde no estoy siendo franco conmigo mismo y me miento a mí mismo para no ganar una fortuna hoy?*

____

____

____

____

____

QUINTA PREGUNTA: *¿Qué tendría que ser o hacer diferente para poder recibir tanto o más que los demás por lo que yo creo?*

____

____

____

____

____

¿Te gustaría crear una fortuna? Responde a todas las preguntas de este capítulo y vuelve a contestarlas dentro de una semana o dos, para empezar a tomar consciencia de lo que es cierto para ti.

PRIMERA PREGUNTA: *¿Cómo puedo engañarme a mí mismo para hacer hoy algo que me haga ganar una fortuna de inmediato?*

____

____

____

____

SEGUNDA PREGUNTA: *¿Qué puedo hacer hoy para estimular de inmediato la ventaja competitiva de mi propia realidad?*

____

____

____

____

PREGUNTA TRES: *Si tuviera total confianza en mí mismo y fuera capaz de crear una fortuna, ¿qué elegiría hoy?*

____

____

____

____

CUARTA PREGUNTA: *¿Dónde no estoy siendo franco conmigo mismo y me miento a mí mismo para no ganar una fortuna hoy?*

QUINTA PREGUNTA: *¿Qué tendría que ser o hacer diferente para poder recibir tanto o más que los demás por lo que yo creo?*

Capítulo siete
Entusiasmo por vivir

Dain y yo tuvimos hace poco una charla interesante con el asesor financiero que hemos contratado para que trabaje con nosotros. Es muy sensato en lo que respecta al dinero. Dijo: "Soy consciente de lo que tienes que hacer con respecto a tus impuestos. Lo entiendo. Pero no puedo hablar de la consciencia de lo que va a pasar con respecto a tu futura creación de ingresos". Así que empezamos a hablar con él sobre eso.

Dijo: "Muy poca gente tiene entusiasmo por su futura posibilidad de ingresos. El entusiasmo que tienes por el dinero que puedes crear supera todo lo que he visto".

Para nosotros, siempre se trata de mayores posibilidades. Dain y yo siempre nos preguntamos: "¿Qué más? ¿Qué más?". Tienes que buscar mayores posibilidades, siempre. Tienes que preguntar: "¿Qué entusiasmo necesito tener en mi vida para crear la realidad monetaria futura que me gustaría tener?".

La alegría de crear, la alegría de elegir y la alegría de la posibilidad

Cuando estás entusiasmado, buscas lo que funcionará en vez de lo que te detendrá. La mayoría de las personas no hacen esto. Tienden a buscar una solución a su problema. Se preguntan: "¿Qué va a resolver esto? Piensan que si consiguen desbloquearse, podrán crear, pero carecen de entusiasmo por la alegría de crear, la alegría de elegir y la alegría de la posibilidad. Esas son las cosas que crean entusiasmo en la vida: alegría, elección y posibilidad.

La pregunta "¿Qué más?" es la forma, la estructura y el significado que crea la posibilidad. "¿Qué más?" contempla una realidad mayor y más entusiasta que "¿Qué va a resolver este problema?". Esos tres elementos, la alegría, la elección y la posibilidad crean lo que te dará entusiasmo, que es una cualidad innata que necesitas para invitar al dinero a tu fiesta.

PRIMERA PREGUNTA: *¿Con qué entusiasmo puedo crear una realidad totalmente diferente para mí?*

____

____

____

____

Entusiasmo no es emoción

Entusiasmo y emoción no son lo mismo. El entusiasmo es disfrutar del momento y no proyectar ni esperar nada de él. El entusiasmo no implica proyecciones ni expectativas sobre cómo deberían salir las cosas, sobre cómo van a salir o sobre cómo deberían salir. El entusiasmo crea todas las formas de movimiento hacia delante. Es "¡Me pregunto cómo será esto!". El entusiasmo no requiere que completes nada. Es una explosión continua y una experiencia de posibilidades. Como dice Dain: "Es una bola de luz que viene de dentro y se infunde en tu vida". Es un rasgo humanoide.

> ¿Cuánta energía has utilizado para suprimir tu capacidad innata de entusiasmo humanoide? Todo lo que eso es, por un dioszillón, ¿Lo destruyes y descreas totalmente? Acertado y equivocado, bueno y malo, POD y POC, todas las 100, cortos, chicos, POVAD, creaciones, bases y más allás.

El entusiasmo es estar en una disposición entusiasta hacia la vida. Mucha gente va más a la emoción que al entusiasmo. Dicen: "¡Estoy tan emocionado con esto!". Estar emocionado implica estar fuera, no estar dentro. Nace de proyecciones y expectativas. Proyectas y esperas lo que algo creará en vez de ver lo que es realmente posible. Cualquier proyección o expectativa, cualquier "¡Oh, esto va a ser tan bueno!" es una garantía de que las cosas van a salir mal.

La emoción es la proyección y la expectativa que crees haber pedido. ¿Qué hace la emoción? Convierte una posibilidad en una oportunidad, y eso no es lo que quieres. La oportunidad aparece justo antes de que la posibilidad abra la puerta, y te impide avanzar. Demasiada emoción puede cegarte con respecto a tus proyecciones y expectativas sobre lo que es posible, porque cualquier proyección crea un punto ciego.

¿Qué más es posible?

He estado considerando la posibilidad de comprar un rancho aquí en Texas porque tengo muchos caballos en California y me está costando una tonelada de dinero mantenerlos allí. Dain y yo salimos a ver propiedades. Le dije: "Podemos comprar un terreno no urbanizado y poner algo en él". Así que salimos y miramos terrenos no urbanizados, y yo dije: "Vaya, esta gente está vendiendo terrenos desnudos y feos. Están vendiendo los lugares en los que no quieren vivir. Han decidido que no tienen ningún valor".

Son como las personas que tienen caballos y funcionan a partir de lo que se llama eliminación selectiva (*culling*), que es deshacerse de los que consideras rechazados. Eligen basándose en el rechazo. No es ahí donde creas posibilidades. ¿Has hecho alguna vez del rechazo una fuente de creación?

> Dondequiera que has hecho rechazo como fuente de creación, ¿lo destruyes y descreas totalmente? Acertado y equivocado, bueno y malo, POD y POC, todas las 100, cortos, chicos, POVAD, creaciones, bases y más allás.

Mientras Dain y yo mirábamos varias propiedades, nos preguntábamos: "¿Qué más es posible aquí?". Puedes coger algo y convertirlo en lo que tú decidas. Tienes que estar dispuesto a ver lo que tienes a tu alcance en cada momento. Eso es lo que genera entusiasmo.

Miramos una propiedad e hicimos una oferta por ella. Me dije: "¡Oh! Debemos tanto en impuestos. ¿Cómo puedo hacerlo?". Y entonces hablé con alguien que me dijo: "Trasladar tus caballos a Texas podría ahorrarte entre 6.000 y 8.000 dólares al mes. Reduciría tus gastos, lo que aumentaría tus ingresos y tu patrimonio neto. ¿Por qué no lo harías?".

Le dije: "Me preocupan los impuestos. Tengo que contemplar esta posibilidad. ¿El IRS confiscará el rancho? No, eso no lo hacen. ¿Se enfadarán conmigo? ¿A quién le importa?".

¿Quién sabe lo que se creará en función de lo que elijas? Tienes que ver que cada elección va a crear algo. Es "¿Qué ocurrirá como resultado de esta elección?" no "Esto es lo que tengo que hacer porque…". Cada vez que dices "porque tal", te niegas a ver las posibilidades. Estás atascado en la oportunidad.

La mayoría de ustedes no están entusiasmados con lo que van a crear. Dices: "Dios mío, me pregunto si esto funcionará. Dios mío, ¿funcionará?". Tienes más "oh, Dios mío" que "vaya, eso es genial. ¿Qué otra cosa es posible?".

La clave para ser entusiasta es ser sin necesitar. Cuando no tienes necesidades, puedes tener entusiasmo por cualquier cosa que aparezca en tu vida que pueda crear más. Si estás necesitado, siempre buscas dinero como si eso fuera la solución en vez de como una posibilidad. Cuando no tienes necesidades, puedes elegir. Cuando tienes necesidad, debes elegir basándote en si algo va a satisfacer esa necesidad. No tener necesidades es mucho más divertido porque puedes elegir.

Ser la pregunta genera entusiasmo y posibilidad

Ser la pregunta es parte de lo que genera entusiasmo, y como la pregunta abre la puerta a todo, empiezas a saber lo que es posible por las elecciones que haces. Si tienes sentido de la pregunta, cada vez que haces una elección, ves lo que se crea. Pero si crees que tienes que acertar, haces una elección para ver si has acertado o no. Nunca se trata de la alegría de crear, nunca se trata del entusiasmo y de todo lo que puedes elegir.

Obtener algo que esperas u obtener ese único resultado que buscas es la trampa mortal. Matas aquello que crea vida: el entusiasmo y la alegría de crear, la alegría de la posibilidad y la alegría de la elección.

> Todo lo que has decidido que te permite deshacerte de la alegría de elegir, la alegría del entusiasmo, la alegría de vivir y la alegría de la posibilidad, todo lo que has hecho para elegir algo que te deshaga de eso, ¿por favor revocas, te retractas, rescindes, reclamas, denuncias, renuncias, destruyes y descreas todo lo que has decidido que debes tener para que eso sea tu realidad? Acertado y equivocado, bueno y malo, POD y POC, todas las 100, cortos, chicos, POVAD, creaciones, bases y más allás.

SEGUNDA PREGUNTA: *¿Dónde me convencí de que mi vida tiene que ser miserable en vez de entusiasta?*

Comprometerte contigo

Tuve una conversación con un hombre que me dijo que estaba atascado en no comprometerse consigo mismo. Me dijo: "Soy muy bueno creando distracciones en mi vida. Cuando me siento a hacer algo, creo una distracción o una excusa para no tener que hacerlo. Empiezo a hacer cosas pero no puedo completarlas".

Le dije: "En realidad estás muy comprometido. Estás comprometido a crear excusas y nunca completar nada".

Dijo: "Me gustaría cambiar eso".

Le dije: "No puedes".

Preguntó: "¿No puedo?".

Le dije: "No lo harás".

Dijo: "Me gustaría".

Le dije: "Qué bien. No lo harás".

Dijo: "Lo haré".

Le pregunté: "¿Ah, sí? ¿Seguro?"

Dijo: "Sí".

Le pregunté: "¿Lo juras sobre una pila de Biblias? ¿Lo juras sobre las enseñanzas de Buda?".

Se rio un poco a tientas y dijo: "No diría que sí".

"Cueste lo que cueste"

Le dije: "Estás más comprometido con el fracaso que con el éxito. Estás más empeñado en detenerte que en avanzar. Si de verdad quieres cambiar esto, tienes que exigirte a ti mismo: 'Cueste lo que cueste, pierda a quien pierda, ocurra lo que ocurra, voy a cambiar esto. Basta ya. Esto es una locura".

"Cada vez que te sientes a hacer algo y pongas una excusa, di: 'Basta. No voy a tener más excusas. Mis excusas han desaparecido. Ahora voy a terminar esto', y luego oblígate a hacerlo.

"Si quieres que esto funcione, tienes que elegir obligarte a hacerlo". Es una elección que tienes que hacer. La única persona en el mundo que te obliga a hacer lo que no quieres eres tú. Deseas mucho más no hacerlo de lo que deseas hacerlo. Qué listo, ¿no? Dices: "Voy a cambiar esto", ¡y luego lo cambias!

"Estás dispuesto a comprometerte con casi cualquier otra cosa, pero no contigo. No estás atascado en absoluto. Te atascas solo. Te niegas rotundamente a hacer algo. Eres un *refusenik*".

Un *refusenik* era una persona de la antigua Unión Soviética a la que se denegaba el permiso para emigrar, en particular un judío que no podía emigrar a Israel. También es una persona que se niega a seguir órdenes o a obedecer la ley, especialmente como protesta. Es una persona que no se siente cómoda con el sistema o que no cumple la ley por convicción moral.

> ¿Qué te niegas a ser que podrías ser, que si lo fueras cambiaría toda tu realidad financiera? Todo lo que eso es, por un dioszillón, ¿Lo destruyes y descreas totalmente? Acertado y equivocado, bueno y malo, POD y POC, todas las 100, cortos, chicos, POVAD, creaciones, bases y más allás.

Por favor, considera esto. Solo hay una persona que puede atascarte: ¡tú! Nadie más puede atorarte. Tú eres el único que tiene ese poder. ¿Por qué ese poder es más importante para ti que el de crear, recibir y entusiasmarse? Es como si estuvieras atascado para poder ser poco entusiasta con tu vida. No estás dispuesto a cambiar todo en tu vida.

> ¿A quién o qué te niegas a perder que si lo perdieras te permitiría tener demasiado maldito dinero? Todo lo que eso es, por un dioszillón, ¿Lo destruyes y descreas totalmente? Acertado y equivocado, bueno y malo, POD y POC, todas las 100, cortos, chicos, POVAD, creaciones, bases y más allás.

TERCERA PREGUNTA: *¿Qué he hecho para convertirme hoy en un refusenik?*

Hay una posibilidad diferente en la vida

Debes captar que en la vida existe una posibilidad distinta. Hace años, cuando me dedicaba a la tapicería, fui a casa de una señora. Ella quería rehacer toda su casa. Me dijo: "Estoy rediseñando mi casa. Tengo noventa y dos años y puede que nunca la termine, pero quiero pasármelo bien mientras lo hago".

Pensé: "¡Vaya!". Le pregunté: "¿Qué haces estos días?".

Me levanto a las cinco de la mañana y me paso una hora leyendo. Después salgo y trabajo con mi jardinero en el jardín durante dos horas, luego entro y medito un rato y después vuelvo a salir y lo miro todo. Estoy muy agradecida por lo que la naturaleza me ha dado. Luego me visto y voy a recoger a mis amigas, todas son ya demasiado mayores para conducir, y almorzamos". Tenía noventa y dos años y las llevaba en coche. Su entusiasmo por la vida y por vivir era extraordinario.

Alguien me dijo: "Tengo entusiasmo, pero siento que gotea de un grifo roto. ¿Cómo puedo convertirlo en la cascada del entusiasmo?".

Le dije: "Sigue preguntándote: ¿Qué energía, espacio y consciencia puedo ser para añadir más flujo a mi vida con total facilidad?".

La mayoría de ustedes prefieren sufrir la vida antes que entusiasmarse con ella. Hay que comprometerse con la propia vida. Entusiasmo es cuando te comprometes con tu propia vida. Lo generas a partir de esa elección. No puedes tener una vida con la que no estás comprometido y tener entusiasmo por vivirla.

Un participante en la *clase avanzada de cómo convertirse en dinero* me dijo: "He observado la forma en que siempre utilizas lo que ocurre en tu vida -incluso lo malo- en tu beneficio. Tuve que verte ser así antes de empezar a hacerlo por mí mismo. Es increíble lo que aparece cuando no juzgas tus decisiones y permites que te aporten algo, aunque en el momento algo no haya salido tan bien".

Le dije: "Bueno, ¿qué te hace pensar que algo no ha salido tan bien? Quizá sea más grandioso de lo que imaginas. Cada vez que pienso que algo no funciona, me sorprendo al descubrir que sí funciona".

Todo es posible si no ves algo como un problema. En el momento en que defines algo como un problema, le quitas la posibilidad. Cuando ocurre algo raro, cuando alguien te engaña o te tima y descubres que debes una tonelada de dinero que no sabías que debías, ¿cómo lo afrontas? Todo es posible si no ves algo como un problema. En el momento en que defines algo como un problema, le quitas la posibilidad. ¿Qué estás creando? ¿Pérdida financiera? ¿Pérdida de dinero? ¿Pérdida de vida? ¿O todo lo anterior y más?

¿Qué has hecho tan vital, valioso y real sobre la inevitabilidad de la pérdida de las finanzas a través de la muerte que te mantiene buscando las razones y justificaciones para crear pobreza? Todo lo que eso es, por un dioszillón, ¿Lo destruyes y descreas totalmente? Acertado y equivocado, bueno y malo, POD y POC, todas las 100, cortos, chicos, POVAD, creaciones, bases y más allás.

Busca la posibilidad infinita

Vivo en Texas, donde la gente posee pozos petrolíferos. En un momento dado, estaba con un grupo de gente que hablaba de sus pozos petrolíferos, y pensé: "¿Dónde está mi pozo petrolífero, para que me den millones de dólares?". Entonces dije: "¡Oh! Si voy a tener un pozo petrolífero, al menos debo tener la propiedad de un terreno donde puedan perforar en busca de petróleo. Yo no tengo eso". Eso fue bastante gracioso. Estaba siendo como la gente que pregunta: "¿Dónde está todo mi dinero? Quiero ganar la lotería". Bueno, si vas a ganar la lotería, ¡debes considerar la posibilidad de realmente comprar un boleto de la lotería!

Si quieres dinero, tienes que reconocer: "Soy bueno creando poco". Entonces tienes que preguntarte: "¿Cómo sería si estuviera creando demasiado? ¿Qué es realmente cierto aquí? ¿Qué es lo que realmente quiero? ¿Qué estoy creando realmente? ¿Qué es para mí lo que va a hacer que todo sea más grandioso?".

No es: "¿Cómo lo hago bien?" o "¿Por qué no tengo mucho dinero?". No se trata de lo que ves como solución. Si ves la lotería como tu solución a no tener suficiente dinero, no vas a conseguir lo que quieres. ¿Por qué? Porque has decidido que solo hay un camino. Lo bueno de ser entusiasta es que tienes múltiples caminos, y cada uno crea una sensación diferente de ligereza y un conjunto diferente de posibilidades. No ves un único camino como la respuesta.

La mayoría de la gente busca la respuesta, no la posibilidad infinita. ¡Empieza a buscar la posibilidad infinita! Cuanto más feliz, alegre, creativo y entusiasmado estés por lo que puede ocurrir, más aparecerá el camino hacia el éxito y el dinero que deseas.

Tengo unos amigos que buscaban una propiedad en Australia. Hicieron una oferta por una propiedad; el propietario aceptó su oferta y luego se echó atrás. Dijeron: "¡Oh, no! ¿Qué vamos a hacer?".

Le dije: "Busca otra propiedad. ¿Qué? ¿Es esta la única propiedad en el mundo?".

Decían: "¡Pero ésta era genial!".

Le pregunté: "¿Y si sales y encuentras algo aún mejor? El universo te cubre las espaldas y quiere crear más para ti si tienes el entusiasmo, si tienes la voluntad y la capacidad de crear, y si estás dispuesto a ver qué más puedes añadir a tu vida y cómo puedes crear más. Hay que empezar a buscar desde la creación y no desde la solución al problema".

Hace poco, una señora me envió diez preguntas sobre cómo salir de su problema. Se trataba de la limitación de esto y de aquello. Era acerca de cómo no tiene - y no de cómo tiene. La mayoría de la gente busca cómo salir de sus problemas en vez de crear más allá de ellos. ¿Te fijas en lo que tienes? ¿Y estás agradecido por ello?

He llenado mi casa de antigüedades para poder pasear agradecido por tener cosas tan bonitas en mi vida. Todos los días entro en mi casa y digo: "¡Vaya! ¿Cómo he tenido tanta suerte de tener esto? ¿De vivir así? ¿De tener una vida en la que esto es lo que consigo ser y tener y hacer?". Me despierto por la mañana diciendo: "Estoy muy agradecido. ¿Qué suerte tengo? ¿Cómo demonios he tenido tanta suerte de tener esto como vida? ¿Qué hice?".

No hice todo lo que la gente dice que te da lo mejor de la vida. Durante mucho tiempo, las drogas, el sexo y el rock and roll fueron mi modo de vida, pero siempre tuve entusiasmo por vivir. Hay que tener entusiasmo por vivir.

> ¿Cuánto de tu entusiasmo por vivir estás suprimiendo para no tener que vivir nunca desde el entusiasmo total de vivir? Todo lo que eso es, por un dioszillón, ¿Lo destruyes y descreas totalmente? Acertado y equivocado, bueno y malo, POD y POC, todas las 100, cortos, chicos, POVAD, creaciones, bases y más allás.

Por favor, repite las siguientes preguntas una y otra vez. Y elige vivir desde la alegría de la creación, la alegría de la elección y la alegría de la posibilidad.

PREGUNTAS DEL LIBRO DE EJERCICIOS
CAPÍTULO SIETE

PRIMERA PREGUNTA: *¿Con qué entusiasmo puedo crear una realidad totalmente diferente para mí?*

SEGUNDA PREGUNTA: *¿Dónde me convencí de que mi vida tiene que ser miserable en vez de entusiasta?*

TERCERA PREGUNTA: *¿Qué he hecho para convertirme hoy en un refusenik?*

Capítulo ocho
El dinero es fácil

Aquí tienes la primera pregunta. Por favor, escribe tus respuestas.

PRIMERA PREGUNTA: *Si tuviera todo lo que deseo en la vida, ¿qué tendría que ser?*

____

____

____

____

____

¿Qué has hecho tan vital, valioso y real sobre la inevitabilidad de ser lo que tienes que ser para conseguir lo que realmente deseas que te niegas a ser para no conseguir lo que realmente deseas? ¿Te das cuenta de lo absurdo que es? ¿Comprendes que estás trabajando contra ti mismo? ¿Por qué eres tu peor enemigo? Estás luchando contra todo lo que dices que deseas y todo lo que dices que quieres. ¿Buena elección? ¿Mala elección? ¿Increíble estupidez? Todo lo que eso es, por un dioszillón, ¿Lo destruyes y descreas totalmente? Acertado y equivocado, bueno y malo, POD y POC, todas las 100, cortos, chicos, POVAD, creaciones, bases y más allás.

SEGUNDA PREGUNTA: *¿Dónde y cuándo decidí que yo era el único lo suficientemente listo como para impedirme conseguir todo lo que realmente deseo?*

¿Dónde y cuándo decidiste que eras el único lo suficientemente listo para conseguir todo lo que realmente deseas, para no conseguir todo lo que realmente deseas? Todo lo que eso es, por un dioszillón, ¿Lo destruyes y descreas totalmente? Acertado y equivocado, bueno y malo, POD y POC, todas las 100, cortos, chicos, POVAD, creaciones, bases y más allás.

Exigir

Aquí es donde tienes que exigir: "No sé qué demonios estoy haciendo, pero obviamente no estoy consiguiendo lo que realmente deseo, así que voy a cambiar lo que haga falta para cambiar esto". Tienes que hacer ese tipo de exigencia.

También tienes que reconocer que has creado personas en tu vida que pueden hacer un montón de cosas, y que te ayudarán en lo que desees crear. Hoy estaba hablando con una amiga que se enteró de que su padre dejó que 950 cabezas de ganado fueran totalmente salvajes porque no estaba dispuesto a hacer que los vaqueros salieran a hacer su trabajo. Ella dijo: "No sé cómo vamos a juntar estas vacas".

Llamé a un chico que conocí en la clase de *Caballo consciente, jinete consciente* y le pregunté: "¿Sabes de alguien que pueda juntar estas vacas?".

Volvió a llamar en cinco minutos y dijo: "Tengo gente preparada para hacerlo". ¿Qué? Así es como funciona. Cuando estás dispuesto a hacer las preguntas: "¿Qué se va a requerir para crear esto?" y "¿Qué se va a requerir para crear una posibilidad diferente?" el universo hará todo lo que pueda para apoyarte – si no te niegas a serlo y a tenerlo.

Hay posibilidades en el mundo que pocas personas son capaces de ver. ¿Quién es capaz de verlas? Cualquiera que elija hacerlo. Pero tú eliges no hacerlo. ¿Por qué eliges no hacerlo? Intento que elijas. Hay tanto disponible para ti, y estás actuando como si no tuvieras elección.

¿Afluencia o efluencia?

¿Comprendes que no eliges la afluencia? Puede que hayas identificado y aplicado erróneamente efluencia y afluencia. La efluencia es cuando tienes diarrea. Afluencia es cuando tienes demasiado dinero. Alguien me dijo que buscó esas palabras en un diccionario de 1828. Dijo: "La efluencia es un flujo hacia fuera o hacia delante. La afluencia es un fluir hacia un punto. Es una abundancia de riquezas. Me encanta que efluencia sea fluir hacia fuera y afluencia sea fluir hacia un punto".

> ¿Cómo sería si estuvieras dispuesto a reconocer que la afluencia es un estado de recibir que has rechazado? Todo lo que no te permite tener ese nivel de recibir, ¿lo destruyes y descreas totalmente? Acertado y equivocado, bueno y malo, POD y POC, todas las 100, cortos, chicos, POVAD, creaciones, bases y más allás.

Puede que hayas cambiado lo suficiente como para saber que eso es cierto, pero sigues negándote a cambiar la situación económica de tu vida. Podrías renunciar a ello, pero probablemente no lo harás. Crees que la pobreza es mucho más divertida que la afluencia.

> ¿Dónde y cuándo decidiste que eras el único lo suficientemente listo como para impedirte conseguir todo lo que verdaderamente deseas? Todo lo que eso es, por un dioszillón, ¿Lo destruyes y descreas totalmente? Acertado y equivocado, bueno y malo, POD y POC, todas las 100, cortos, chicos, POVAD, creaciones, bases y más allás.

¿Qué has hecho tan vital, valioso y real acerca de la pobreza que te impide elegir aquello que crearía afluencia? La mayoría de ustedes piensan que la afluencia es como la efluencia, o tirarse un pedo. La afluencia no es tirarse un pedo. Es crear dinero.

Por eso te pido que busques las palabras en el diccionario. Si buscas las palabras, empiezas a ver lo que realmente significan y puedes elegir una realidad diferente. Si no las buscas y no sabes lo que significan, ¿tienes verdadera consciencia de lo que tienes a tu disposición? No.

> ¿Captarás alguna vez que una de las formas en las que rechazas la afluencia, la abundancia y el tener demasiado dinero es por no educarte respecto a lo que dices y piensas? Todo lo que has hecho para no tener consciencia total de lo que dices y piensas, ¿Lo destruyes y descreas totalmente? Acertado y equivocado, bueno y malo, POD y POC, todas las 100, cortos, chicos, POVAD, creaciones, bases y más allás.

> ¿Qué energía, espacio y consciencia utilizas para evitar la consciencia y la educación que te darían la afluencia, estás eligiendo? Todo lo que eso es por un dioszillón, ¿Lo

destruyes y descreas totalmente? Acertado y equivocado, bueno y malo, POD y POC, todas las 100, cortos, chicos, POVAD, creaciones, bases y más allás.

Edúcate sobre lo que dices y piensas

Una señora me dijo: "Acabo de buscar la palabra recibir, porque recibir es algo con lo que he tenido dificultades. La primera acepción es 'tomar lo que te dan, te envíen o te paguen'. Otra significa es 'padecer el daño que otra le hace o casualmente le sucede'. Entiendo que he adoptado el segundo significado".

Esto es lo que muchos de ustedes han hecho. Han tomado el significado de las palabras que justifican las limitaciones que crean.

> Todo lo que has hecho para evitar educarte en cómo conseguir más y ser más, y todo lo que has hecho para educarte en cómo limitarte más, ¿destruyes y descreas todo eso? Acertado y equivocado, bueno y malo, POD y POC, todas las 100, cortos, chicos, POVAD, creaciones, bases y más allás.

> ¿Qué has hecho tan vital, valioso y real sobre la pobreza que te impide elegir lo que crearía afluencia? Todo lo que eso es, por un dioszillón, ¿Lo destruyes y descreas totalmente? Acertado y equivocado, bueno y malo, POD y POC, todas las 100, cortos, chicos, POVAD, creaciones, bases y más allás.

¿Qué quieres crear realmente en tu vida? ¿Quieres crear más dinero del que jamás creíste posible? ¿O ya has decidido que no puedes tenerlo?

> ¿Te has deprimido totalmente por lo que has decidido que no puedes tener porque obviamente no puedes tenerlo porque no lo tienes? ¿Destruyes y descreas todo eso? Acertado y equivocado, bueno y malo, POD y POC, todas las 100, cortos, chicos, POVAD, creaciones, bases y más allás.

TERCERA PREGUNTA: *¿Qué entusiasmo evito para asegurarme de no tener éxito financiero?*

La exigencia permite elegir el entusiasmo

Hay una diferencia entre tener entusiasmo y ser entusiasmo. Si tienes entusiasmo, mientes. Si eres entusiasmo, no tienes ningún punto de vista; solo te diviertes. Cuando eres entusiasmo, sigues haciendo cosas pase lo que pase. No detienes tu vida ni te detienes a ti mismo. Buscas mayores posibilidades. ¿Qué pasaría si buscaras siempre mayores posibilidades?

La exigencia es lo que te permite elegir el entusiasmo. Tienes que exigirte a ti mismo: "Voy a crear una vida mejor de la que nadie está dispuesto a tener".

Estoy dispuesto a crear lo que nadie está dispuesto a tener, y no me importa lo que obtengo. Simplemente disfruto de todo lo que recibo. Me entusiasma el hecho de que tengo una capacidad de percibir, saber, ser y recibir superior a la que otras personas están dispuestas a percibir, saber, ser o recibir. ¿Por qué es cierto? Porque eso es lo que crea la posibilidad, la alegría y todo lo demás.

Estás agradecido por lo que tienes y por lo que pasa. La gratitud y el entusiasmo van de la mano. Son como el yin y el yang de la posibilidad. Tienes que crear una exigencia. Tienes que preguntarte: "¿Qué quiero crear realmente y cómo lo hago?".

Solo tienes que elegir

Un participante en la clase dijo: "A veces me pregunto: '¿Qué me gustaría crear?' y no sé necesariamente cómo crearlo…".

Le contesté: "'¿Cómo lo creo?' no es una pregunta que abra la puerta a la posibilidad. Pregunta: '¿Qué tendría que elegir aquí para crear esto?'".

Me dijo: "Pregunto eso y luego no tengo respuesta".

Le dije: "Eso es porque no hay respuesta a lo que tienes que elegir. Solo existe la posibilidad de lo que puedes elegir. Así que simplemente eliges".

Ella dijo: "¡Oh! Eso es lo que dijiste el otro día: ‹Solo elige‹. Ahora lo entiendo".

Si no disfruto con esto, ¿por qué demonios estoy aquí?

Otro participante en la clase preguntó: "Gary, ¿siempre has sido así de entusiasta?".

Le dije: "Sí, siempre he tenido entusiasmo por la vida porque pensaba: 'Si no disfruto con esto, o no me entusiasma, ¿por qué demonios estoy aquí?'".

Ella dijo: "Cuando volví de Sudáfrica, donde estuve siete días, tenía ese entusiasmo. Ahora está ahí de nuevo, pero durante un tiempo desapareció. ¿Por qué?".

Le dije: "No había desaparecido. Es que nadie podía recibirlo. Tienes la idea de que si alguien no puede recibir algo, tienes que dejar de tenerlo. Yo no tengo ese punto de vista. Soy entusiasta, le guste o no a los demás".

Me dijo: "¡Sí! Me estaba creyendo esta realidad. Es como si ahí no hubiera alegría. La mayoría de la gente no tiene alegría".

La mayoría de las personas no están dispuestas a tener el entusiasmo y la creatividad que les permitiría su vida porque irían más allá de todos los que conocen.

CUARTA PREGUNTA: *¿A quién o qué no estoy dispuesto a superar que, si lo superara, crearía una realidad financiera totalmente diferente para mí?*

No renuncies a tu realidad

Una vez, cuando era más joven, mi madre vino a visitarme a Santa Bárbara. Me dijo: "Te llevaré a cenar, cariño. ¿Dónde quieres ir?".

Le dije: "¿Qué te parece el *Ranch House* de Ojai?".

Ella dijo: "Me parece bien".

Fuimos allí y el coste de la cena para los tres fue de 120 dólares. Ella lo pagó y luego preguntó: "¿Por qué comerías en este restaurante?". El *Ranch House* tiene una de las mejores comidas que hayas probado en tu vida, pero que tres personas cenaran por 120 dólares le pareció horroroso. Consideré eso y pensé: "Vale, mi madre y yo no tenemos la misma realidad". No fui a "ella está equivocada". No fui a "estoy equivocado". Fue "no tenemos la misma realidad".

Me di cuenta: "No puedo volver a hacerle esto", y nunca lo hice. Más tarde, cuando tuve dinero y mi madre y mi padrastro vinieron de visita, los llevé a un restaurante muy bonito y pagué yo. Esta vez fue mi padrastro el que se horrorizó, porque era un restaurante gourmet y él quería una hamburguesa. El personal tuvo que hacer un trabajo extra para encontrar la manera de conseguirle una hamburguesa. Su punto de vista fue: "¿Por qué gastarse tanto dinero en una hamburguesa tan mala?". En ese momento, comprendí que mi realidad y su realidad nunca se encontrarían.

Mi padrastro quería ir al otro lado de la calle donde podía comer "todo lo que puedas comer" por 7,99 dólares. Esa no es mi realidad. Yo no estaba dispuesto a renunciar a mi realidad, pero me alegré mucho de llevarle al sitio de 7,99 dólares y beber mientras él comía.

¿He renunciado alguna vez a mi realidad por otra persona? Sí, lo hice con mis esposas. Me pasé todo el tiempo que estuve casado intentando renunciar a mi realidad para hacerlas felices. Pero ¿puedes realmente hacer feliz a otra persona? No.

QUINTA PREGUNTA: *¿A cuánto de mi realidad he renunciado para hacer felices a otras personas, lo cual nunca he logrado?*

Eliminas tus opciones cuando renuncias a tu propia realidad.

Alguien en una clase dijo: "Me gustaría tener elecciones ilimitadas".

Le dije: "No puedes tenerlas. No te lo permitiré".

Se rio y me dijo: "Sigue diciéndome eso". Sabía que mi afirmación de que no podía elegir sin límites era exactamente lo que necesitaba para exigirlo.

Le dije: "Fíjate que cuando te dije: 'No puedes tenerlo', en tu cabeza dijiste: '¡Nadie va a volver a sujetarme!' Esa es una decisión que tienes que tomar".

SEXTA PREGUNTA: *¿Qué decisión tendría que tomar hoy que crearía mi realidad financiera de inmediato?*

¿Qué decisión tendrías que tomar basándote en el hecho de que tiendes a tomar decisiones que te detienen en vez de moverte a crear? Básicamente, la pregunta te engaña para ir más allá de las decisiones ridículas que has tomado. Prefieres tomar una decisión que te convierta en un montón de mierda que una que te convierta en un ser ilimitado con capacidad ilimitada.

Una señora que es artista dijo: "Cuando estoy creando un cuadro o una pintura, estoy en el momento, pero cuando estoy creando mi vida, tomo todo tipo de decisiones y conclusiones".

Le dije: "Cuando creas una imagen, tienes que permanecer en el momento o no se convertirá en algo que merezca la pena, ¿verdad? Lo mismo se aplica a tu vida".

El dinero está dondequiera

El primer *Libro de trabajo de cómo convertirse en dinero* plantea la siguiente pregunta: "Cuando ves que el dinero viene hacia ti, ¿de qué dirección lo ves venir?". Algunas personas ven que el dinero se les acerca por detrás, otras por la izquierda o por la derecha o por encima de ellas. Hay que tener el punto de vista de que el dinero está dondequiera y lo es todo. Te preguntas: "¿Cómo me va a servir el dinero?".

Siempre consideras cómo puedes crear dinero. No te fijas en lo que el dinero va a crear para ti. Si el dinero te sirviera, ¿cómo sería? ¿Cómo sería si cada dólar que gastaras volviera a ti multiplicado por diez? ¿Cómo sería si cada vez que gastas dinero, te ocurriera algo grandioso?

SÉPTIMA PREGUNTA: *¿Cómo me va a servir el dinero?*

Tengo una amiga que se gastó mucho dinero en limpiar su terreno de malas hierbas y basura. Me dijo: "La energía de la tierra es increíble".

Le pregunté: "Cuando te compras un vestido muy bonito, ¿te sientes mejor cuando lo llevas puesto?".

Ella dijo: "Totalmente".

Le dije: "Cuando vayas a gastar dinero, pregúntate: ¿Cómo me hace sentir esto? ¿Esto amplía mi vida o la contrae?".

¿Cómo se crea con dinero? ¿Cómo te va a servir el dinero? Tienes que hacer que el dinero te sirva. Eres de la opinión de que siempre tienes que trabajar para conseguir tu dinero. Hay demasiada gente está en el modo de trabajo musical, "Debo, debo, así que a trabajar voy".

No hablo de invertir y recibir de lo que inviertes. Invertir es el punto de vista de que solo tienes una cierta cantidad y si inviertes eso, debe devolver una cantidad que haga que valga la pena hacer la inversión. ¡Eso es todo juicio! Conseguir que el dinero te sirva es completamente diferente.

La pregunta es: "¿Cómo me va a servir este dinero?". ¡Esa es la cuestión! "¿Cómo me va a servir?".

El dinero es fácil

No quieres saber que el dinero es así de fácil, porque si el dinero fuera así de fácil, ¿qué demonios harías? Tendrías que renunciar a tu dura vida. Quiero que seas capaz de exigir lo que deseas en la vida y que estés dispuesto a tenerlo. ¿Lo que deseas aparece siempre instantáneamente? No. Pero aparecerá. ¿Qué aspecto tendrá? No lo sé. ¿Cuándo aparecerá? No lo sé. Solo tienes que estar dispuesto a mirarlo desde un lugar diferente.

Hace poco, una amiga fue a su primera subasta. Me dijo que el mero hecho de estar allí le producía una sensación de alegría desbordante. Mirando todas las cosas bonitas que se vendían, se dio cuenta de que no estaba ni cerca de elegir muebles u otros objetos para ella que la hicieran sentirse ligera y expansiva.

Dijo: "Vi un espejo y todo mi cuerpo hizo 'aaah'. Se vendió por 5.000 dólares. Como te he estado escuchando hablar de antigüedades, investigué un poco sobre él. Me enteré de que se llamaba un espejo Pier 1760. Uno de ellos se vendió en Christie's por 55.000 dólares".

Pregunté: "¿Quieres decir que sabías algo cuando te miraste al espejo?".

Me dijo: "Sí, ¿qué es eso de negar el saber instantáneamente?".

Le dije: "Bueno, lo siento. Si supieras lo que sabes todo el tiempo - y pudieras ganar dinero tan fácilmente - eso haría tu vida demasiado fácil, y no puedes tener una vida fácil".

Ella dijo: "¡Bueno, basta de eso! Me he dado cuenta de que si tengo un poco de tiempo libre, en vez de recibir el tiempo y la belleza de la creación y la alegría, hay una respuesta automática para ir a la mierda en torno al dinero en vez de simplemente ser y recibir de la vida".

Le dije: "Bueno, eso es porque haces que el dinero sea más importante que recibir. Esa no es una buena idea, ¿verdad?".

Infórmate sobre lo que te gusta

Infórmate sobre aquello que te va a hacer ganar dinero. ¿Qué te interesa? ¿Qué te apasiona? ¿Qué hace cantar a tu corazón? Me encantan las antigüedades. Miro antigüedades dondequiera que voy. Cuando veo algo superbonito pregunto: "¿Cuánto cuesta?". Si no me lo puedo permitir, no me lo puedo permitir. La siguiente vez que veo algo igual de bonito a un precio asequible, lo compro.

También me fijo en lo que otros no ven. El dinero llega a quienes ven lo que los demás no pueden ver, o lo que no quieren ver, o aquello sobre lo que tienen puntos de vista. Una vez fui a una venta de garaje organizada por una señora mayor. Vi una pulsera de oro de catorce quilates que estaba marcada así: $1500. Pensé: "Me pregunto cuánto costará en realidad. ¿Pide 150 dólares o 1500?". Dos anticuarios la habían dejado delante de mí sin mostrar ningún interés por ella.

Le pregunté a la señora: "¿Cuánto cuesta?".

Me dijo: "Cuesta 15 dólares y es oro de catorce quilates", así que lo compré. Esa tarde fui a una tienda que compra artículos de oro y plata y lo vendí por 450 dólares. Todo el mundo dijo: "¿Cómo puedes aprovecharte de esa ancianita?".

Le dije: "Es fácil. Le pagué exactamente lo que pidió".

OCTAVA PREGUNTA: *Si estuviera totalmente dispuesto a recibir, ¿en qué me convertiría?*

____

____

____

____

Pides más dinero y el universo dice: "Vale, aquí tienes más dinero", y te muestra algo como un espejo de 5.000 dólares o una pulsera de 15 dólares, y tú dices: "No". ¿Por qué dices "No"? ¿Por qué no preguntas: "Qué se va a requerir para crear esto"? No tienes que comprar todo lo que se te ponga por delante. Investiga y averigua cuánto vale. La próxima vez que veas algo que vale mucho dinero, dirás: "Todo en mí me dice que esto vale mucho dinero. ¿Cómo puedo comprarlo?" y entonces lo comprarás.

Hay un sitio de subastas aquí en Estados Unidos al que entro a veces. Hacía muchos meses que no lo hacía y, por alguna razón, entré hace poco. Compré un montón de piedras sueltas por las que no pagué casi nada y que nadie parece querer. ¿Eso me entristece? No. Ofrecí la cantidad que quería y me dije: "Si 'pierdo' con ellas, no me importa porque no creo que sea una pérdida. Creo que es abrir una puerta a una posibilidad diferente. ¿Qué estaría disponible si no tuviera un punto de vista fijo?". Esa es la siguiente pregunta:

PREGUNTA NUEVE: *¿De qué dispondría si no tuviera puntos de vista fijos?*

____

____

____

____

Podrías tenerlo todo si eliminaras tus puntos de vista, pero prefieres tener tus puntos de vista porque eso demuestra que tú eres tú.

> ¿Qué has hecho tan vital, real y valioso sobre tus puntos de vista que te mantienen eligiendo inevitablemente en contra de lo que crearía dinero y posibilidad en tu vida, siendo tú? Todo lo que eso es por un dioszillón, ¿Lo destruyes y descreas totalmente? Acertado y equivocado, bueno y malo, POD y POC, todas las 100, cortos, chicos, POVAD, creaciones, bases y más allás.

> ¿Qué has hecho tan vital, valioso y real de la inevitabilidad de ser un mendigo en la calle que te impide crear aquello que te haría millonario en la cima de la montaña? Todo lo que eso es, por un dioszillón, ¿Lo destruyes y descreas totalmente? Acertado y equivocado, bueno y malo, POD y POC, todas las 100, cortos, chicos, POVAD, creaciones, bases y más allás.

Por favor, recuerda que el dinero es fácil. Y por favor, trabaja con estas preguntas una y otra vez para que tomes consciencia de tus limitaciones en torno al dinero y ya no las consideres ciertas.

PRIMERA PREGUNTA: *Si tuviera todo lo que deseo en la vida, ¿qué tendría que ser?*

____

____

____

____

SEGUNDA PREGUNTA: *¿Dónde y cuándo decidí que yo era el único lo suficientemente listo como para impedirme conseguir todo lo que realmente deseo?*

____

____

____

____

TERCERA PREGUNTA: *¿Qué entusiasmo evito para asegurarme de no tener éxito financiero?*

____

____

____

____

CUARTA PREGUNTA: *¿A quién o qué no estoy dispuesto a superar que, si lo superara, crearía una realidad financiera totalmente diferente para mí?*

QUINTA PREGUNTA*: ¿A cuánto de mi realidad he renunciado para hacer felices a otras personas, lo cual nunca he logrado?*

SEXTA PREGUNTA: *¿Qué decisión tendría que tomar hoy que crearía mi realidad financiera de inmediato?*

PREGUNTA SIETE: *¿Cómo me va a servir el dinero?*

OCTAVA PREGUNTA: *Si estuviera totalmente dispuesto a recibir, ¿en qué me convertiría?*

NOVENA PREGUNTA: *¿De qué dispondría si no tuviera puntos de vista fijos?*

Capítulo nueve
Un futuro que supera todo lo que has visto

PRIMERA PREGUNTA: *¿Cuál he definido como mi último recurso cuando me quedo sin dinero?*

Puede que hayas decidido que tu último recurso sea quedarte sin casa, o que tu último recurso sea irte a vivir con tu madre, o que tu último recurso sea casarte. Lo que sea que has definido como tu último recurso, se convierte en lo que buscas cuando no buscas la creación. Cuando creas tu último recurso, no estás creando tu vida.

¿Cuál has concluido que es tu último recurso si te quedas sin dinero que te mantiene creando para el último recurso? Todo lo que eso es, por un dioszillón, ¿Lo destruyes y descreas totalmente? Acertado y equivocado, bueno y malo, POD y POC, todas las 100, cortos, chicos, POVAD, creaciones, bases y más allás.

Debemos buscar siempre el último recurso si no buscamos la creación.

Todo lo que has hecho para no buscar la creación, ¿lo destruyes y descreas totalmente? Acertado y equivocado, bueno y malo, POD y POC, todas las 100, cortos, chicos, POVAD, creaciones, bases y más allás.

Sea cual sea tu último recurso, tienes que preguntarte: "¿Es realmente mi último recurso? ¿O tengo algo disponible que ni siquiera he considerado?". Esa es la siguiente pregunta:

SEGUNDA PREGUNTA: *Si éste es mi último recurso, ¿qué es lo que nunca he considerado?*

Cuando estás dispuesto a considerar cualquier cosa como una posibilidad, puedes salir del "no tengo elección" y pasar al "¿qué opciones tengo?". También puedes preguntarte: "Si eligiera algo diferente, ¿qué tendría que ser o hacer para crearlo?". Es la tercera pregunta:

TERCERA PREGUNTA: *Si eligiera algo diferente, ¿qué tendría que ser o hacer para crearlo?*

Siempre hay una posibilidad diferente. Siempre puedes elegir. Y cada elección crea algo. Incluso la "no elección" es una elección que haces, y crea algo.

> ¿Cuántas no elecciones has hecho en tu vida que limitan el dinero que puedes tener? Todo lo que eso es, por un dioszillón, ¿Lo destruyes y descreas totalmente? Acertado y equivocado, bueno y malo, POD y POC, todas las 100, cortos, chicos, POVAD, creaciones, bases y más allás.

> ¿Qué es realmente posible que no has considerado? ¿Y si eligieras algo diferente? ¿Qué tendrías que ser o hacer para crear eso? Todo lo que no permite eso por un dioszillón, ¿lo destruyes y descreas totalmente? Acertado y equivocado, bueno y malo, POD y POC, todas las 100, cortos, chicos, POVAD, creaciones, bases y más allás.

Las posibilidades surgen incluso cuando no eliges ninguna opción. Si no eliges ninguna opción, recurres al último recurso. Dices: "Si todo lo demás falla, tendría que elegir…". ¿Qué?

¿Qué elección hiciste cuando decidiste que no tenías elección? Todo lo que eso es, por un dioszillón, ¿Lo destruyes y descreas totalmente? Acertado y equivocado, bueno y malo, POD y POC, todas las 100, cortos, chicos, POVAD, creaciones, bases y más allás.

Si todo lo demás falla, ¿qué tendrías que elegir? Todo lo que eso es, por un dioszillón, ¿lo destruyes y descreas totalmente? Acertado y equivocado, bueno y malo, POD y POC, todas las 100, cortos, chicos, POVAD, creaciones, bases y más allás.

Una señora me preguntó por una persona a la que estaba facilitando. Me dijo: "Tiene un trabajo de alto nivel que genera mucho dinero. Está a punto de saltar por un precipicio y sabe que su punto de vista sobre el dinero le tiene atascado".

¿Tu punto de vista sobre el dinero te tiene atascado? Tienes que considerar lo que haces y preguntarte: "¿Qué es esto? ¿Qué puedo hacer con ello? ¿Qué quiero elegir aquí? ¿Qué funcionaría realmente para mí si lo eligiera?". Elige reconocer lo que es y luego puedes hacer una pregunta como: "¿Cuáles son las posibles elecciones aquí?".

¿Qué has hecho tan valioso, vital, real y válido sobre el dinero que crea la inevitabilidad de no tener nunca cantidades ilimitadas? Todo lo que eso es, por un dioszillón, ¿Lo destruyes y descreas totalmente? Acertado y equivocado, bueno y malo, POD y POC, todas las 100, cortos, chicos, POVAD, creaciones, bases y más allás.

Tienes que crear tu futuro

A menudo la gente quiere hablar conmigo de cosas que ocurrieron en el pasado. Yo pregunto: "¿Por qué lo haces real? ¿Por qué miras al pasado en vez de crear tu futuro?". El problema está en ti, no en tu pasado. Tu pasado no creó lo que haces hoy; lo creaste tú. Utilizas tu pasado como justificación, pero el pasado no es una realidad. Es una elección que haces que mantiene que el pasado sea más relevante que tu futuro.

¿Qué tendrías que ser, hacer, tener, crear y generar como tu futuro para aniquilar y erradicar toda relevancia del pasado por toda la eternidad? Todo que es por un dioszillón, ¿Lo destruyes y descreas totalmente? Acertado y equivocado, bueno y malo, POD y POC, todas las 100, cortos, chicos, POVAD, creaciones, bases y más allás.

Sigues mirando al pasado como si ese fuera el regalo. El pasado no es el regalo. El pasado es el pasado. ¿Qué quieres crear? ¿Más pasado? ¿Menos pasado? ¿O quieres un futuro que supere todo lo que has visto hasta ahora?

¿Qué tendrías que ser, hacer, tener, crear y generar como tu futuro para aniquilar y erradicar toda relevancia del pasado por toda la eternidad? Si ves que la elección crea, ¿por qué demonios no estás creando? ¿Qué elección tendrías que hacer ahora mismo para crear una realidad financieramente diferente?

Tuve una conversación con un amigo que me dijo: "Tenemos que pagar un montón de impuestos que no hemos previsto. También estamos pensando en comprar una propiedad para invertir. Una parte de mí quiere decir: 'Hagamos que todo prospere, paguemos los impuestos, hagamos todo esto y luego invirtamos en la propiedad'. Otra parte quiere decir: 'Creemos y elijámoslo todo', pero no quiero meterme en un lío financiero. No sé qué elegir".

Le dije: "Veámoslo desde un punto de vista ligeramente distinto. Como sabes, he estado estudiando la posibilidad de comprar un rancho para poder traer mis caballos a Texas porque en California cuestan mucho. Probablemente pueda reducir significativamente mis gastos comprando un rancho aquí".

Mi amigo me dijo: "Esa elección es pan comido. Yo la elegiría. Al comprar el rancho, creas un futuro que va a ser mucho mayor dentro de cinco, diez, quince o veinte años, y sé que puedes crear más".

Le dije: "Exactamente. Hace años, cuando el estado de California me confiscó todo el dinero en efectivo por los impuestos, fui a *Bonhams* y me gasté 31000 dólares en joyas para el *Antique Guild*. Tú y todos los que estaban conmigo dijeron: "¿Cómo puedes hacer eso cuando debes tanto en impuestos?".

Le dije: "Oye, solo debo impuestos. No estoy muerto. Voy a crear mi futuro. Tienes que crear tu futuro. Puedes mirar lo que debes de impuestos y decir: 'Vale, debo todo este dinero de impuestos. ¿Y ahora qué? Estas son las formas en que puedo pagarlo: Puedo vender todo lo que poseo y pagar los impuestos. ¿Eso va a ser crear mi vida o destruirla? Destruirla". O puedes preguntarte: "Si voy a crear mi vida, ¿cómo va a ser? ¿Cómo será si hago esto?".

Mi amigo me dijo: "La propiedad que nos gustaría comprar sale a subasta el mes que viene. Probablemente costará 500.000 dólares. Queremos derribar la casa que hay en el terreno y construir tres casas adosadas. Eso es probablemente va a ser alrededor de $ 1.1 millones. No paramos de reírnos de que no vamos a invertir a pequeña escala. Vamos a lo grande ¿Por qué íbamos a ir a lo pequeño?".

Le dije: "Desgraciadamente, llevas demasiado tiempo haciendo Access".

Se rio y dijo: "A veces esta realidad empieza a echarte para atrás y te dice: 'Oye, tienes que pagar más de 100.000 dólares en impuestos. Tienes que recortar'. Ese no es mi mundo, esa no es mi realidad. Nunca he recortado. Yo creo más".

Le dije: "Tienes que fijarte en lo que crea entusiasmo en tu vida". ¿Pagar al gobierno? ¿O crear algo para ti? Si estás haciendo algo que está un poco por encima de tu nivel de comodidad y te preguntas: ¿Cómo va a funcionar esto? considera cuál es el peor escenario posible. ¿Podrías alquilar tu casa por más de lo que pagas por ella y alquilar otra casa por menos de lo que pagas ahora? Ese dinero podría destinarse a pagar los impuestos. Tiene opciones. Tendemos a creernos la idea de que no tenemos opciones en vez de fijarnos en lo que realmente es posible. Tienes distintas fuentes de dinero.

"Crea elecciones en la vida, y eso creará más. Siempre quiero funcionar desde lo que va a crear más en mi vida. No funciones desde el último recurso de: 'Tengo que pagar todos mis impuestos y morir'. Fíjate en lo que crea entusiasmo en tu vida. ¿Pagar al gobierno? ¿O crear algo para ti? ¿Qué quieres crear en tu vida? ¿Qué es realmente importante para ti?".

El punto de vista que uno adopta determina la creación que uno tiene y consigue

En un momento dado, me planteé regalar todos mis caballos porque eso reduciría mis salidas mensuales en más de 20.000 dólares al mes. ¿Debería haberlos regalado? No. Traje esta raza a Estados Unidos por una realidad a largo plazo, que es nuestro centro de Costa Rica, que debería estar en funcionamiento dentro de dos años. Habrá gente de Costa Rica, Estados Unidos, Europa y de todo el mundo montando estos caballos. Van a querer uno. ¿Por qué? Porque son caballos maravillosos. Son caballos increíbles. Una vez que has montado uno, te preguntas: "¿Cómo encuentro uno?". Bueno, resulta que tengo un lugar donde los criamos. Así que estoy planeando a largo plazo; no estoy planeando a corto plazo.

La mayoría de las empresas fracasan en los dos primeros años, y la razón del fracaso es la falta de dinero suficiente para ponerlas en marcha. Hay que tener recursos para poder crear una empresa. ¿Es siempre necesario? Bueno, no, pero no puedes esperar ganar grandes cantidades de dinero en el primer o segundo año. Al tercer año puedes empezar a ganar dinero y al cuarto puedes ganar mucho dinero.

Alguien dijo: "Yo cerraría si tuviera que pagar una factura fiscal enorme. ¿Cómo puedes funcionar así?".

Le dije: "Es solo una factura de impuestos. No es el fin del mundo. ¿Voy a morir? No. ¿Van a llevarme a la cárcel de deudores? No. Ya ni siquiera pueden enviarme a Australia". El punto de vista que uno adopta determina la creación que uno tiene y obtiene. ¿Estoy diciendo: "¡Dios mío. Esto es terrible. Impuestos!" ¡No! ¿Qué crearía con ese punto de vista? ¿Posibilidad? ¿O miedo? ¿Cuál crea tu futuro?".

CUARTA PREGUNTA: *Si estuviera creando mi futuro, ¿qué elegiría y cómo sabría qué elegir?*

____

____

____

____

____

QUINTA PREGUNTA: *¿Cómo puedo crear más de lo que nunca antes he creado?*

____

____

____

____

____

Juicio contra punto de vista interesante

Siempre que hagas cualquier tipo de juicio, incluso de ti mismo, eliminas la consciencia como realidad. Si realmente deseas consciencia, tienes que deshacerte de todo juicio. La consciencia lo incluye todo y no juzga nada. Tienes que estar dispuesto a recibir cualquier cosa sin un punto de vista. Tienes que verlo como una posibilidad y lo que creará por lo que elijas.

A veces la gente viene y me dice: "Tengo que hablar contigo. ¿Sabes lo que hago para ganar dinero? Cultivo marihuana".

Yo digo: "Vale, de acuerdo. Hay mercado para todo en el mundo". Buscan mi juicio. Se trata de a quién pueden rechazar y a quién no. Si digo: "Es terrible que hagas eso", pueden rechazarme a mí y a todo lo que les he dicho que podría crear más para ellos. Pero a mí me interesa crear más para ellos, no menos.

Tienes que funcionar desde un punto de vista interesante. Todo es un punto de vista interesante. El punto de vista interesante es una elección que tienes. Tu punto de vista simplemente crea posibilidades. ¿Lo utilizas? ¿O lo evitas?

Hay formas de ganar dinero dondequiera que estés. Solo tienes que encontrar lo que te interesa, lo que te divierte y lo que te puede hacer ganar dinero. ¿Estás haciendo eso? ¿O estás tratando de trabajar en lo adecuado para asegurarte de obtener el dinero apropiado? Esto es lo siguiente que tienes que hacer:

SEXTA PREGUNTA: *¿Qué diez cosas he decidido que son "dinero equivocado"?*

____

____

____

____

____

SÉPTIMA PREGUNTA: *¿Qué diez cosas he decidido que son "dinero acertado"?*

____

____

____

____

____

Ahora considera cada cosa que has anotado y pregúntate: "¿Es eso un juicio sobre lo que es dinero acertado y dinero equivocado?".

> ¿Qué has definido como dinero acertado que te impide tener dinero? Todo lo que eso es, por un dioszillón, ¿Lo destruyes y descreas totalmente? Acertado y equivocado, bueno y malo, POD y POC, todas las 100, cortos, chicos, POVAD, creaciones, bases y más allás.

> ¿Qué has decidido y determinado como dinero equivocado que te impide tener dinero? Todo lo que eso es, por un dioszillón, ¿Lo destruyes y descreas totalmente? Acertado y equivocado, bueno y malo, POD y POC, todas las 100, cortos, chicos, POVAD, creaciones, bases y más allás.

Cuando decides que algo tiene que ser o no puede ser, ¿realmente puedes elegir?

Si no estás dispuesto a ser algo, no puedes recibir nada

A veces, las personas que se convierten en facilitadores de Access me dicen: "No gano dinero". ¿Qué pregunta es esa? Nunca preguntan: "¿Por qué no gano suficiente dinero?", porque la respuesta a esa pregunta es: "No ganas suficiente dinero porque hay algo que no estás dispuesto a ser". Si no estás dispuesto a ser algo, no puedes recibir nada. Tienes que estar dispuesto a serlo todo para recibirlo todo. Por eso he escrito este libro de trabajo: Si puedes convertirte en dinero, puedes recibir dinero y tener dinero. Pero tienes que estar dispuesto a ser lo que sea para crear el dinero que deseas.

OCTAVA PREGUNTA: *¿Qué tendría que ser para crear el dinero que me gustaría recibir?*

____

____

____

____

____

Cualquier cosa que decidas que no puedes ser te impide tener el dinero que deseas. Tienes que estar dispuesto a serlo para tenerlo.

"¿Cómo puedo utilizar mi dinero para crear dinero?"

¿Captas esto? Puede que tengas que leer este libro más de una o dos veces. Este es el libro avanzado. La mayoría de las personas ni siquiera pueden con lo básico del dinero. ¿Por qué no pueden con lo básico del dinero? Porque están más interesadas en cómo pueden gastar su dinero que en cómo pueden utilizar su dinero para crear mayores posibilidades. Tienes que preguntar: "¿Cómo puedo utilizar mi dinero?".

He ido a ferias de intercambio cuando solo tenía 10 dólares y he comprado cosas que valían 20 o 50 dólares. Si solo tienes 10 dólares y vas a gastarlos, no compres una taza de café. Compra algo que valga más de lo que pagas por ello. Pregúntate: "¿Cómo puedo utilizar mi dinero para crear dinero?".

No escuches a la gente que dice: "Tienes que usar el dinero de los demás para ganar dinero" o "Tienes que aprovecharte de los demás para conseguir el dinero que quieres" o

"El dinero es malo". El dinero no es inherentemente acertado o equivocado o bueno o malo. Simplemente es. ¿Qué es? Es lo que es. No significa nada hasta que lo haces significativo.

Empecé a llevar a mis hijos a ventas de garaje cuando eran muy pequeños. Les hacía comprar cosas y luego yo las vendía por ellos para que aprendieran que hay un lugar al que siempre pueden ir para conseguir dinero. La mayoría de ellos tienen ahora el punto de vista "Vale, ¿qué puedo hacer que me vaya a hacer ganar más dinero?" porque les di las habilidades que les permitirían obtener unos ingresos razonables con poco o nada de dinero para empezar.

Alguien me dijo: "El punto de vista de mi hijo es: 'Claro que tengo dinero. Claro que hay dinero'".

Le dije: "Eso es bueno. Eso le da el punto de vista de que el dinero no es difícil de conseguir. Si su punto de vista es: 'Claro que hay dinero', entonces puede preguntar: ¿Qué tengo que hacer para conseguirlo?".

He tenido amigos que crecieron con dinero y noté algo en ellos. Nunca utilizaban las palabras por qué, intentar, querer y necesitar. Esas palabras no existían en su vocabulario. Tenían el punto de vista "Por supuesto que tendré dinero". Cuando se casaban, lo hacían con alguien que tenía dinero. No se casaban con una persona pobre que luchaba.

Resulta que sus padres habían comprado propiedades en Newport Beach cuando eran baratas, así que tenían dinero y siempre lo iban a tener. Iban a ser millonarios simplemente por herencia. Esperaban que el dinero formara parte de sus vidas. No esperaban no poder tenerlo. Enseñé a mis hijos que ellos también podían tener dinero y que siempre había una manera de conseguirlo si estaban dispuestos a hacerlo.

Mis padres tenían el punto de vista de que había que trabajar duro y ahorrar el dinero. Así que trabajaron duro, ahorraron su dinero y no tenían nada. Dejaron pasar todas las posibilidades que tenían de ganar dinero. En 1942 tuvieron la oportunidad de comprar una manzana por 600 dólares en un pueblecito playero de California llamado La Jolla. No la compraron porque el punto de vista de mi madre era que había que ahorrar el dinero, no invertirlo. La Jolla es ahora una propiedad de moda.

Cuando tenía trece años, mis padres tuvieron la oportunidad de comprar una granja de 100 acres en un lugar llamado El Cajón por el mismo precio que una casa de 140 metros cuadrados. Decidieron comprar la casa. Era nueva y les pareció genial. Dos años después, la autopista atravesó el terreno de la finca y el granjero que la tenía se hizo con un millón de dólares. El mundo te dará posibilidades de crear dinero si estás dispuesto a buscar las posibilidades de lo que crea dinero.

Empecé sin nada porque ese era el punto de vista de mi familia. Creé dinero de la nada. La gente dice: "No tienes nada cuando entras y no tendrás nada cuando salgas". Yo digo: "¡Mentira! Esa no es mi realidad".

Puedes crear algo de la nada porque tú eres el algo que nunca tendrá nada. Si tu familia envenena el pozo en cuanto a lo que eres capaz de crear, no bebas. Si envenenan el pastel, no comas. ¿Qué intentas creerte de la realidad de tu familia que no es la tuya? Tienes que preguntarte: "¿Cuál es mi realidad?". ¿La realidad de tu familia es que van a crear mucho dinero? ¿No? ¿Por qué? Porque para ellos, la carencia es real. ¿Pero es la carencia real en tu realidad?

Cuando no tenía dinero, quería comprar una casa, y encontré la manera de comprar una sin enganche. Mientras buscaba una propiedad para comprar, dije: "Universo, muéstrame dónde puedo comprar una propiedad que va a valer mucho más".

Resultó que la casa estaba en una "mala zona", pero se trataba de un trato sin enganche. La gente tenía tantas ganas de deshacerse de la propiedad que estaba dispuesta a hacer cualquier cosa para venderla. Hay que estar dispuesto a ver qué se puede crear y no suponer que algo no se puede crear.

NOVENA PREGUNTA: *¿Qué posibilidades de tener dinero no estoy eligiendo?*

Las preguntas crean

Hace muchos años vino a buscarme una señora. Quería casarse conmigo. Estaba casada cuando la conocí, y yo no quería saber nada de ella porque no salía con mujeres casadas. Me fui a Europa durante seis meses. Cuando volví, empezó a perseguirme de nuevo, pero la dejé de lado y nunca le pregunté a nadie si seguía casada. Uy. Las preguntas crean. Resultó que se había divorciado. Seis meses después se casó con un hombre que se parecía a mí lo suficiente como para ser mi hermano. Al cabo de otros seis meses, murió de una hemorragia cerebral provocada por las píldoras anticonceptivas y le dejó a él 67 millones de dólares. Las posibilidades aparecen en nuestras vidas, pero no siempre las aprovechamos. Por desgracia, si no preguntamos, no podemos recibir.

"¿Cuál es mi realidad?"

Hablaba con la amiga que quería comprar una propiedad y construir casas adosadas en ella. Me dijo: "Comprar esta propiedad me parece divertido. Me preguntaba: '¿Me hará feliz? ¿Aprenderé algo? ¿Será divertido para mí?' Entonces me di cuenta de que son las mismas preguntas que nos hacemos sobre tener relaciones sexuales con alguien".

Le dije: "Sí, porque el sexo y el dinero van de la mano". Ambos tienen que ver con recibir. He estado tratando de dar esta información toda mi vida.

El hecho de que estés dispuesto a escuchar lo que tengo que decir es un indicio de que eres un humanoide. Tu realidad no es como la de los demás y no tendrás una realidad de zona catastrófica. Esa no es tu realidad. Nunca lo ha sido. Tu realidad siempre ha sido tener más en la vida. Por favor, reconoce esto. No estás dispuesto a vivir tu vida con menos. Estás dispuesto a vivir tu vida por más.

Esto es algo que sé de todas las personas que acuden a Access. Buscan lo más que siempre supieron que era su realidad. No puedes fracasar si estás dispuesto a crear lo más que eres.

Te estaré agradecido si ganas mucho dinero. ¿Quieres devolverme el favor? ¡Gana un montón de dinero! Y, por favor, haz las siguientes preguntas una y otra vez.

PREGUNTAS DEL LIBRO DE EJERCICIOS
CAPÍTULO NUEVE

PRIMERA PREGUNTA: *¿Cuál he definido como mi último recurso cuando me quedo sin dinero?*

SEGUNDA PREGUNTA: *Si éste es mi último recurso, ¿qué es lo que nunca he considerado?*

PREGUNTA TRES: *Si eligiera algo diferente, ¿qué tendría que ser o hacer para crearlo?*

CUARTA PREGUNTA: *Si estuviera creando mi futuro, ¿qué elegiría y cómo sabría qué elegir?*

QUINTA PREGUNTA: *¿Cómo puedo crear más de lo que nunca antes he creado?*

SEXTA PREGUNTA: *¿Qué diez cosas he decidido que son "dinero equivocado"? Considera cada cosa que has anotado y pregúntate: "¿Es eso un juicio sobre lo que es dinero equivocado?".*

SÉPTIMA PREGUNTA: *¿Qué diez cosas he decidido que son "dinero acertado"? Considera cada cosa que has anotado y pregúntate: "¿Es eso un juicio sobre lo que es dinero acertado?".*

OCTAVA OCHO: *¿Qué tendría que ser para crear el dinero que me gustaría recibir?*

____

____

____

____

____

NOVEENA PREGUNTA: *¿Qué posibilidades de tener dinero no estoy eligiendo?*

____

____

____

____

____

EL ENUNCIADO ACLARADOR DE ACCESS CONSCIOUSNESS

Tú eres el único que puede desbloquear
los puntos de vista que te tienen atrapado.
Lo que ofrezco aquí con el enunciado aclarador
es una herramienta que puedes usar
para cambiar la energía de los puntos de vista
que te tienen atrapado en situaciones inmutables.

A lo largo de este libro, hago muchas preguntas, y algunas de ellas pueden hacerte girar un poco la cabeza. Ésa es mi intención. Las preguntas que hago están diseñadas para sacar tu mente del cuadro y que puedas llegar a la energía de una situación.

Una vez que la pregunta te ha dado vueltas en la cabeza y ha sacado a relucir la energía de una situación, te pregunto si estás dispuesto a destruir y descrear esa energía, porque la energía atascada es la fuente de las barreras y las limitaciones. Destruir y descrear esa energía te abrirá la puerta a nuevas posibilidades.

Esta es tu oportunidad para decir: "Sí, estoy dispuesto a soltar lo que sea que mantiene esa limitación en su lugar".

A continuación, decimos una frase rara que llamamos el enunciado aclarador:

Acertado y equivocado, bueno y malo, POD y POC, todas las 100,
cortos, chicos, POVAD, creaciones, bases y más allás.

Con el enunciado aclarador, volvemos a la energía de las limitaciones y barreras que se han creado. Estamos considerando las energías que nos impiden avanzar y expandirnos hacia todos los espacios a los que nos gustaría ir. El enunciado aclarador es simplemente una abreviación que se dirige a las energías que crean las limitaciones y contracciones en nuestra vida.

Cuanto más repitas el enunciado aclarador, más profundo irá y más capas y niveles podrá desbloquear para ti. Si te surge mucha energía en respuesta a una pregunta, es posible que desees repetir el proceso varias veces hasta que el tema abordado deje de ser un problema para ti.

No es necesario que entiendas las palabras del enunciado aclarador para que funcione, porque se trata de la energía. Sin embargo, si te interesa saber qué significan las palabras, a continuación encontrarás algunas definiciones breves.

Acertado y equivocado, bueno y malo es la abreviatura de: ¿Qué tiene esto de acertado, bueno, perfecto y correcto? ¿Qué hay de equivocado, mezquino, cruel, terrible, malo y espantoso en esto? La versión abreviada de estas preguntas es: ¿Qué es lo acertado y lo equivocado, lo bueno y lo malo? Son las cosas que consideramos acertadas, buenas, perfectas y/o correctas las que más nos atascan. No queremos desprendernos de ellas desde que decidimos que las tenemos bien.

POD significa el punto de destrucción; todas las formas en las que te has destruido a ti mismo para mantener la existencia de lo que aclaras.

POC significa el punto de creación de los pensamientos, sentimientos y emociones que preceden inmediatamente a tu decisión de atascar la energía.

A veces la gente dice "POD y POC", que es simplemente la abreviatura del enunciado más largo. Cuando se dice "POD y POC", es como sacar la última carta de un castillo de naipes. Todo se viene abajo.

Las 100 son las cien historias diferentes que puedes elegir para crearte en esta realidad, pero te crea en esta realidad, no te permite vivir más allá de esta realidad. 1-50 es una cara de la moneda, 51-100 es la otra cara de la moneda y todas están mezcladas. Son la razón por la que la mayoría de las cosas son conflictivas en vez de cohesivas. Es la razón por la que queremos vivir en el borde en vez de en un lado o en el otro.

Cortos son la versión abreviada de una serie mucho más larga de preguntas que incluyen: ¿Qué tiene esto de significativo? ¿Qué tiene de insignificante? ¿Cuál es el castigo? ¿Cuál es la recompensa?

Chicos habla de unas estructuras energéticas llamadas esferas nucleadas. Básicamente tienen que ver con aquellas áreas de nuestra vida en las que hemos intentado manejar algo continuamente sin ningún efecto. Hay al menos trece tipos diferentes de estas esferas, que se llaman colectivamente "los chicos". Una esfera nucleada se parece a las burbujas que se crean cuando soplas en uno de esos tubos de burbujas para niños que tiene varias cámaras. Crea una enorme masa de burbujas y, cuando revientas una, las demás rellenan el espacio.

POVAD son los puntos de vista que evitas y defiendes que mantienen esto en existencia.

Creaciones es la abreviatura de "ámbitos de la creación", que tratan de cómo realmente tienes que aprender a crear y reconocer lo que has creado para que realmente puedas crear todo lo que deseas de verdad de la manera que te gustaría hacerlo pero sigues sin elegirlo.

Bases una base es la estructura que utilizas para tener una vida adecuada y la estructura con la que sopesas y mides la pérdida o la ganancia de todas las situaciones.

Los "más allás" son los sentimientos o las sensaciones que detienen el corazón, la respiración o la voluntad de ver posibilidades. Es lo que ocurre cuando estás en estado de shock. Tenemos muchas áreas en nuestra vida en las que nos paralizamos. Cada vez que te paralizas, es un más allá el que te mantiene cautivo. Ésa es la dificultad de un más allá: te impide estar presente. Los más allá incluyen todo lo que está más allá de la creencia, la realidad, la imaginación, la concepción, la percepción, la racionalización, el perdón, así como todos los demás más allá. Suelen ser sentimientos y sensaciones, rara vez emociones y nunca pensamientos.